GRAMÁTICA ACTIVA
1

Olga Mata Coimbra   Isabel Coimbra Leite

Membros da equipa pedagógica do
cial — CENTRO DE LÍNGUAS

— Grant & Cutler
Great Marlborough St.
— European School Books
Regent Place ?

edições técnicas
LISBOA – PORTO – COIMBRA

Da mesma Editora:

— PORTUGUÊS SEM FRONTEIRAS
  Curso de Português como Língua Estrangeira em 3 Níveis.
  Componentes de cada nível: Livro do Aluno, Livro do Professor e um conjunto de cassetes

— LUSOFONIA
  Curso Básico de Português Língua Estrangeira
  Curso Avançado de Português Língua Estrangeira (1º trimestre/1994).
  Componentes de cada: Livro do Aluno, Caderno de Exercícios, Livro do Professor e uma cassete.

— GUIA PRÁTICO DOS VERBOS PORTUGUESES – 12.000 verbos
  Manual prático de conjugação verbal. Inclui verbos com preposições

— SERRA TERRA
— OLHAR COIMBRA
  Cassetes vídeo, que incluem Guia Pedagógico, destinadas a ser integradas em sequências pedagógicas
  (disponíveis em PAL, SECAM e NTSC)

— GRAMÁTICA ACTIVA 2 (em preparação)

— PORTUGUÊS AO VIVO
  Textos e exercícios em 3 níveis

— A BRINCAR APRENDEMOS «OS AÇORES»
  Livro destinado aos jovens sobre a história dos Açores

— Colecção LER PORTUGUÊS
  Histórias originais de leitura fácil e agradável, estruturadas em 3 níveis

DISTRIBUIÇÃO — **LIDEL**
LIVRARIAS: LISBOA: Avenida Praia da Vitória, 14
                    Telef. 54 14 18 — Telex 15 432 — Fax 57 78 27
            PORTO: Rua Damião de Góis, 452
                    Telef. 59 79 95 — Telex 20 636 — Fax 02 - 550 11 19
            COIMBRA: Av. Emídio Navarro, 11-2.º
                    Telef. 2 24 86 — Telex 52 612 — Fax 039 - 27 221

Ilustrador: Luís Manuel Rodrigues Aldeia

Execução gráfica: Tipografia Lousanense, Lda.

ISBN 972-9018-40-5

LIDEL — Edições Técnicas, Lda.
Rua D. Estefânia, 183, r/c-Dto. — 1096 Lisboa Codex
Telef. 3534437-575995-3554898 — Telex 15432 — Telefax 577827

Índice

Introdução

A **Gramática Activa 1** destina-se ao ensino do **português como língua estrangeira** ou do **português como segunda língua** e cobre as principais estruturas do **nível elementar**.

Sendo um livro com explicações e exercícios gramaticais, não está orientado para ser um curso de Português para Estrangeiros. É um livro que deve ser usado como material suplementar ao curso, na sala de aula ou em casa.

A **Gramática Activa 1** divide-se em 50 unidades, cada uma delas focando áreas específicas da gramática portuguesa, tais como tempos verbais, pronomes, artigos, adjectivos, preposições, etc. O livro não deverá ser trabalhado do princípio ao fim, seguindo a ordem numérica das unidades. Estas devem ser antes seleccionadas e trabalhadas de acordo com as dificuldades do(s) aluno(s).

Cada unidade compõe-se de 2 páginas, contendo a página da esquerda as explicações gramaticais e a página da direita os exercícios correspondentes à(s) estrutura(s) apresentada(s).

No fim do livro há ainda 3 apêndices — lista de verbos regulares e irregulares; plural dos substantivos e adjectivos e pronomes pessoais — bem como a chave dos exercícios.

Unidade 1   sou / és / é / somos / são

*(presente do indicativo - verbo **ser**)*

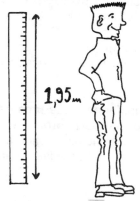

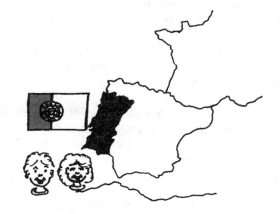

Eu **sou** médico.
Eu **não sou** enfermeiro.

Ele **é** alto.
Ele **não é** baixo.

Nós **somos** portugueses.
Nós **não somos** brasileiros.

ser

afirmativa	
eu	**sou**
tu	**és**
você ele ela	**é**
nós	**somos**
vocês eles elas	**são**

negativa	
eu	não **sou**
tu	não **és**
você ele ela	não **é**
nós	não **somos**
vocês eles elas	não **são**

— Vocês **são** portugueses?

— Eu **sou** português, mas ele **é** brasileiro.

— **Sou** professor e o meu irmão **é** engenheiro.

— Ela **é** casada.

— **És** de Lisboa?

— Não, **não sou** de Lisboa. **Sou** de Faro.

— O dicionário **é** do professor.

— Que horas **são**?

— **É** uma hora.

— A mesa **é** de madeira.

— Lisboa **é** em Portugal. **É** a capital de Portugal.

— Eu e a Joana **somos** boas amigas.

— O João **é** muito inteligente.

- nacionalidades

- profissões
- estado civil
- origem (de + substantivo)

- posse (de + substantivo)
- tempo cronológico (horas; dias da semana; datas)

- matéria (de + substantivo)
- situação geográfica (sujeito fixo)
- substantivo
- adjectivo

6

Unidade 1   Exercícios

1.1. Complete com: **sou** / **és** / **é** / **somos** / **são**

1. ele é_____   3. eu_sou___   5. tu_és____   7. você_é___   9. eu e tu_somos___

2. nós_somos___   4. vocês_são___   6. ela_é____   8. eles_são___   10. tu e elas_são__

1.2. Complete com: **sou** / **és** / **é** / **somos** / **são**

1. A rosa_é___ uma flor.
2. Eu _sou_ portuguesa e o João _é_ brasileiro.
3. A mala _é_ muito pesada.
4. Estas malas _são_ muito pesadas.
5. Tu e Ana _são_ colegas.

6. Que dia _é_ hoje?
7. Hoje _é_ segunda-feira.
8. A minha avó _é_ viúva.
9. Tu _és_ bom aluno.
10. O Manuel e a mulher _são_ advogados.

11. O copo _é_ de vidro.
12. A senhora _é_ do Porto?
13. Eu e o Pedro _somos_ estudantes.
14. Lisboa _é_ em Portugal.
15. Ela _é_ uma rapariga simpática.

1.3. Faça frases completas com: **sou** / **és** / **é** / **somos** / **são**

1. (estes exercícios / muito fáceis) *Estes exercícios são muito fáceis.*
2. (o futebol / um desporto muito popular) _O futebol é um desporto muito popula_
3. (tu / não / espanhol) _tu não és espanhol._
4. (elas / boas alunas) _elas são boas alunas_
5. (esta casa / moderna) _Esta casa é moderna_
6. (nós / secretárias) _Nós somos secretárias._
7. (o teste / não / difícil) _O teste não é difícil._
8. (estes discos / da minha irmã) _Estes discos são da minha irmã._
9. (a minha secretária / de madeira) _A minha secretária é de madeira._
10. (aquela camisola / não / cara) _Aquela camisola não é cara._
11. (tu e o Miguel / amigos) _Tu e o Miguel são amigos._
12. (eu / magro) _Eu sou magro._
13. (a caneta / da Ana) _A caneta é da Ana._

1.4. Faça frases afirmativas ou negativas.

1. (Lisboa / a capital de Portugal) *Lisboa é a capital de Portugal.*
2. (eu / alemão) *Eu não sou alemão.*
3. (o cão / um animal selvagem) _O cão não é um animal selvagem._
4. (a gasolina / muito cara) _A gasolina é muito cara._
5. (o avião / um meio de transporte rápido) _O Avião_
6. (Portugal / um país grande) _Portugal não é um país grande._
7. (nós / estrangeiros) _Nós somos estrangeiros._
8. (hoje / quarta-feira) _Hoje não é quarta-feira._
9. (este prédio / muito alto) _Este prédio é muito alto._
10. (os Alpes / na Ásia) _Os Alpes não são na Ásia._
11. (a minha camisola / de lã) _A minha camisola é de lã._
12. (vocês / economistas) _Vocês não são economistas._
13. (esta mala / pesada) _Esta mala é pesada._
14. (tu e ele / amigos) _Tu e ele são amigos._
15. (o rio Tejo / em Portugal) _O rio Tejo é em Portugal._

Unidade 2   estou / estás / está / estamos / estão

*(presente do indicativo - verbo **estar**)*

Eu **estou** na escola.

Tu **estás** em casa.

Ela **está** contente.

Ele **está** triste.

Hoje **está** muito frio.

A sopa **está** quente.

Nós **estamos** com fome.

Eles **estão** com sono.

estar

eu	estou
tu	estás
você ele ela	está
nós	estamos
vocês eles elas	estão

— O dicionário **está** ali.
— Os meus amigos **estão** no estrangeiro.
— O Pedro não **está** em Lisboa.
— **Está** de férias no Algarve.
— O livro **está** em cima da mesa.

- advérbio de lugar
- em + local (sujeito móvel)

— **Está** muito calor lá fora.
— A sopa **está** quente.
— Este bolo não **está** muito bom.
— Hoje **estou** cansado.
— Eles **estão** sentados à mesa.
— A janela **está** aberta.

- tempo meteorológico
- adjectivo (característica temporária)

— **Estou** com sede, mas não **estou** com fome.
— Como **está**?
— **Estou** bem, obrigado.

- com + substantivo (= ter + substantivo)
- cumprimentar

Unidade 2 Exercícios

2.1. Complete com: **estou** / **estás** / **está** / **estamos** / **estão**

1. tu _estás_ 3. ele _está_ 5. ela _está_ 7. eu _estou_ 9. eles _estão_
2. você _está_ 4. nós _estamos_ 6. vocês _estão_ 8. tu e ela _estão_ 10. eu e ele _estamos_

2.2. Complete com: **estou** / **estás** / **está** / **estamos** / **estão**

1. O tempo ___está___ muito bom.
2. Ela ___está___ em casa, mas os filhos ___estão___ na escola.
3. Como ___está___ a senhora?
4. ___Estou___ bem, obrigada.
5. Eu ___estou___ com frio. Pode fechar a janela, por favor?
6. O dinheiro ___está___ dentro da carteira
7. Os livros ___estão___ na pasta.
8. Este bolo ___está___ óptimo.
9. Eles ___estão___ sentados à mesa.
10. Os meus sapatos ___estão___ sujos.
11. O Sr. Matos ___está___ no Porto.
12. As lojas ___estão___ abertas ao sábado.
13. Ela ___está___ muito cansada e ___está___ com sono.
14. Eu e a Ana ___estamos___ de férias.
15. O trabalho já ___está___ pronto.

2.3. Faça frases completas com: **estou** / **estás** / **está** / **estamos** / **estão**

1. (o médico / no hospital) *O médico está no hospital.*
2. (hoje / muito calor) _Hoje está muito calor._
3. (os meus amigos / na escola) _Os meus amigos estão na escola_
4. (eu / na sala de aula) _Eu estou na sala de aula._
5. (a sopa / não / muito quente) _A sopa não está quente_
6. (tu / cansado) _Tu estás cansado._
7. (lá fora / muito frio) _Lá fora está muito frio._
8. (o Pedro / deitado / porque / doente) _O Pedro está deitado porque está doente._
9. (o almoço / pronto) _O almoço está pronto._
10. (o cão / não / com fome) _O cão não está com fome._
11. (eu e a Ana / com sono) _Eu e a Ana estamos com sono._
12. (a D. Graça / não / no escritório) _A D. Graça não está no escritório._
13. (ela / de férias) _Ela está de férias._
14. (eles / à espera do autocarro) _Ele estão à espera do autocarro._
15. (vocês / não / em casa) _Vocês não estão em casa._

Unidade 3 ser vs. estar

— Ele **é** de Lisboa, mas agora **está** no Porto.
— Lisboa **é** em Portugal. Nós **estamos** em Lisboa.

— Os bolos desta pastelaria geralmente **são** óptimos, mas hoje não **estão** muito bons.

— **São** 10 horas da manhã e já **está** tanto calor!

ser e **estar** seguidos de adjectivo

ser + adjectivo

— A água do mar **é** salgada.
— O limão **é** azedo.

• característica geral do sujeito que não necessita de ser experimentado para se poder afirmar ou negar essa característica.

estar + adjectivo

— A sopa **está** salgada.
— O leite não **está** bom, **está** azedo.

• característica do sujeito que teve de ser experimentado para se poder afirmar ou negar essa característica.

ser + adjectivo

— O vestido **é** novo.
— Ela **é** loura.
— Ele **é** inteligente.

• característica que não é resultado de uma acção.

estar + adjectivo

— O vestido **está** roto (porque alguém o rompeu).
— Hoje **estou** cansado (porque trabalhei muito).

• característica que resultou de uma acção.

10

Unidade 3   Exercícios

3.1. ser ou estar?

1. O quadro da sala _está_ limpo.
2. O pai _está_ em casa.
3. Os prédios _são_ altos.
4. O banco _está_ fechado.
5. Os meus primos _são_ do norte.
6. A caneta _está_ em cima da mesa.
7. O nosso professor _é_ muito simpático.
8. Eu _estou_ cansada.
9. O João _está_ doente.
10. Eles _estão_ no restaurante.
11. Ela não _está_ atrasada.
12. O Pedro _é_ um rapaz muito inteligente.
13. A sopa _está_ boa, mas _está_ fria.
14. A minha casa _é_ grande.
15. A Ana e o João _estão_ em Inglaterra.

3.2. ser ou estar?

1. (hoje nós / não / em casa à noite) _Hoje nós não estamos em casa à noite._
2. (eu / cansado) _Eu estou cansado._
3. (a minha mulher / professora) _A minha mulher é professora._
4. (o João / com fome) _O João está com fome._
5. (tu / atrasado) _Tu estás atrasado._
6. (esta sala / muito escura) _Esta sala é muito escura._
7. (eu / não / com sede) _Eu não estou com sede._
8. (ela / de Lisboa) _Ela é de Lisboa_
9. (de manhã / muito frio) _De manhã está muito frio._
10. (a Ana / no estrangeiro) _A Ana está no estrangeiro._
11. (as canetas / em cima da mesa) _As canetas estão em cima da mesa._
12. (os bolos de chocolate / sempre / muito doces) _Os bolos de Chocolate são sempre muito doces._

3.3. ser e estar

1. (a janela / larga // fechada)
   A janela é larga.
   A janela está fechada.
2. (o quadro / muito interessante // na parede)
   O quadro é muito interessante.
   O quadro está na parede.
3. (as mesas / grandes // sujas)
   As mesas são grandes.
   As mesas estão sujas.
4. (o supermercado / grande // aberto)
   O supermercado é grande
   O supermercado está aberto.
5. (o empregado / simpático // cansado)
   O empregado é simpático.
   O empregado está cansado.
6. (ele / inteligente // contente)
   Ele é inteligente.
   Ele está contente.

A Sara é uma moça alegre, mas hoje está triste.

Unidade 4 — estar a + infinitivo

(realização prolongada no presente)

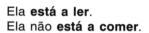

Ela **está a ler**.
Ela não **está a comer**.

Está a chover.
Não **está a nevar**.

Eles **estão a trabalhar**.
Não **estão a conversar**.

Realização prolongada no presente
estar a + infinitivo

eu	estou	a trabalhar
tu	estás	a estudar português
você ele ela	está	a tomar um café
nós	estamos	a conversar
vocês eles elas	estão	a ler o jornal

∇

passado ← — — — — — — — — — — — **agora** — — — — — — — — — — — — — → futuro

• usamos **estar a + infinitivo** para descrever uma acção que está a acontecer agora, neste momento.

— Podem desligar a televisão. Não **estamos a ver**.

— Chiu! As crianças **estão a dormir**.

— **Estou a estudar**. Não posso ir com vocês.

(ao telefone) — O João não pode atender agora. **Está a tomar** duche.

— A Ana **está a fazer** o almoço.

12

Unidade 4   Exercícios

4.1. Complete as seguintes frases com os verbos listados:

brincar	tomar	chover	compreender	ver
estudar	beber	fazer	ler	chegar

1. Falem mais baixo! Eles *estão a estudar.*
2. A Ana faz anos hoje. A mãe dela _está a fazer_ um bolo.
3. (ao telefone) — Posso falar com o João, por favor?
   — Ele _está a tomar_ duche. Não pode atender.
4. Podes desligar a televisão. Eu não _estou a ver_.
5. Pode explicar outra vez? Nós não _estamos a compreender_ o exercício.
6. Despachem-se! O comboio _está a chegar._
7. Onde está o Nuno?
   — Na cozinha. _Ele está a beber_ água.
8. Posso levar o jornal?
   — Agora não. Eu _estou a ler_ as notícias.
9. Onde estão as crianças?
   — _Estão a brincar_ no jardim.
10. É melhor levar o guarda-chuva. _Está a chover._

4.2. O que é que está a acontecer neste momento? Faça frases verdadeiras.

1. (eu / estudar / português) *Eu estou a estudar português.*
2. (eu / fumar) *Eu não estou a fumar.*
3. (eu / ouvir música) _Eu estou a ouvir música_
4. (hoje / chover) _Hoje não está a chover._
5. (telefone / tocar) _O telefone não está a tocar._
6. (eu / ler o jornal) _Eu não estou a ler o jornal._
7. (os meus colegas / fazer exercícios) _Os meus colegas não estão a fazer exercício_
8. (eu / conversar) _Eu não estou a conversar._
9. (eu / tomar café) _Eu não estou a tomar café_
10. (eu / comer uma banana) _Eu não estou a comer uma banana._

4.3. O que é que eles estão a fazer?

1. apanhar sol
Ele está a apanhar sol.

2. ver televisão
Ele está a ver televisão

3. ler um livro
Ela está a ler um livro.

4. escrever uma carta
Ele está a escrever uma carta.

5. andar de bicicleta
Ele está a andar de bicicleta.

6. atravessar a rua
Ele está a atravessar a rua.

Unidade 5 Verbos regulares em *-ar*

(presente do indicativo)

Ela **mora** em Lisboa. Eles **jogam** ténis ao sábado. Ele **toma** o pequeno-almoço às 8h.

falar

eu	fal**o**
tu	fal**as**
você ele ela	fal**a**
nós	fal**amos**
vocês eles elas	fal**am**

- Usamos o **presente do indicativo** para:

- **acções habituais**

— Eu **levanto**-me sempre às 8 horas.
— Normalmente **almoçamos** às 13h e **jantamos** às 20h30.
— O Sr. Ramos **compra** o jornal todos os dias.

- **constatar um facto**

— A terra **gira** à volta do sol.
— A Ana **fala** inglês muito bem.
— As crianças **gostam** muito de chocolate.
— Em Lisboa as lojas **fecham** às 19h00.
— Ele **trabalha** muito.

- **acções num futuro próximo**

— **Telefono**-te amanhã.
— **Fazemos** a festa no próximo fim-de-semana.

Unidade 5   Exercícios

5.1. Escreva os seguintes verbos na forma correcta:

1. falar / eu _falo_
2. morar / você _moraxx_
3. usar / tu _usas_
4. comprar / ele _compra_
5. almoçar / nós _almoçamos_
6. trabalhar / elas _trabalham_
7. pagar / vocês _pagam_
8. tomar / eles _tomam_
9. ficar / ela _fica_

5.2. Complete as frases. Use a forma correcta dos seguintes verbos:

> **levantar / fumar / ficar / ensinar / fechar / morar / gostar**
> **começar / lavar / acabar / usar / jogar / apanhar**

1. Em Portugal os bancos ___fecham___ às 15h00.
2. O João ___fuma___ 15 cigarros por dia.
3. Nós ___moramos___ num pequeno apartamento.
4. Ela é professora e ___ensina___ português às crianças da primária.
5. ___Gostox___ muito do meu trabalho.
6. Eles ___jogam___ futebol todos os domingos.
7. Nunca me ___levanto___ tarde.
8. Normalmente nós ___ficamos___ em casa à noite.
9. Ele ___lava___ o carro ao fim-de-semana.
10. O meu filho ___usa___ óculos.
11. Ela ___apanha___ sempre o autocarro das 8h.
12. O filme ___começa___ às 21h30 e ___acaba___ às 23h00.

5.3. Ponha o verbo na forma correcta.
1. Ela ___toca___ piano muito bem. (tocar)
2. Nós ___falamos___ português. (falar)
3. Eu não ___trabalho___ aos fins-de-semana. (trabalhar)
4. O Pedro ___gosta___ de futebol. (gostar)
5. Eles ___andam___ na universidade. (andar)
6. O Pedro e a Ana ___estudam___ medicina. (estudar)
7. Depois do almoço eu ___tomo___ sempre um café. (tomar)
8. Quem é que ___paga___ a conta? (pagar)
9. Ele ___telefona___ aos pais todos os dias. (telefonar)
10. A que horas é que tu ___jantas___? (jantar)
11. Onde é que vocês se ___encontram___ hoje à noite? (encontrar)
12. Ela ___ganha___ bem na nova empresa. (ganhar)
13. As crianças ___brincam___ no parque todos os domingos. (brincar)

5.4. Faça frases sobre o Pedro, a Ana e sobre si próprio. Use:

> **sempre / nunca / todos os dias / de manhã / à tarde / à noite / às vezes / normalmente**

1. *O Pedro joga futebol todos os dias.*
   Eu _jogo futebol às vezes._
2. O Pedro _lê normalmente_ o jornal.
   Eu _leio o jornal todos os dias._
3. A Ana não _toma normalmente_ café à noite.
   Eu _tomo sempre café à noite._
4. Às vezes o Pedro _dorme à tarde._
   Eu _durmo às vezes de manhã._
5. A Ana _nunca toma um_ duche de manhã.
   Eu _tomo sempre um duche de manhã._
6. O Pedro nunca _trabalha à noite_
   Eu _nunca trabalho de manhã._
7. Normalmente a Ana _~~guia todos os dias~~ apanha_ o autocarro das 8h00.
   Eu _nunca guio o autocarro das 8h00._

apanho

15

Unidade 6   Verbos regulares em *-er*

(presente do indicativo)

Ele **vive** no Porto.

Eles não **compreendem** nada.

No inverno **chove** muito.

comer

eu	com**o**
tu	com**es**
você ele ela	com**e**
nós	com**emos**
vocês eles elas	com**em**

☞	1ª pessoa do singular
conhe**cer**	**eu conheço**, tu conheces…
des**cer**	**eu desço**, tu desces…
esque**cer**	**eu esqueço**, tu esqueces…
aque**cer**	**eu aqueço**, tu aqueces…
pare**cer**	**eu pareço**, tu pareces…
abran**ger**	**eu abranjo**, tu abranges…
prote**ger**	**eu protejo**, tu proteges…
er**guer**	**eu ergo**, tu ergues…

— Eu **bebo** café de manhã, mas ela **bebe** chá.

— **Conheces** a irmã do Pedro?
— Não, não **conheço**.

— O elevador não **desce**. Está avariado.

— No sul de Portugal **chove** pouco.

— As crianças **aprendem** línguas com facilidade.

— Ele **vive** em Lisboa.

— **Esqueço**-me sempre do chapéu de chuva na escola.

— Eles **escrevem** aos pais todas as semanas.

Unidade 6   Exercícios

6.1. Escreva os seguintes verbos na forma correcta:

1. escrever / você _escreve_
2. compreender / ele _Compreende_
3. comer / nós _comemos_
4. conhecer / eu _conheço_

5. beber / tu _bebes_
6. resolver / eles _resolvem_
7. descer / ela _desce_
8. aquecer / eu _aqueço_

9. viver / eu _vivo_
10. correr / elas _correm_
11. aprender / vocês _aprendem_
12. esquecer / eu _esqueço_

6.2. Complete com os verbos na forma correcta:

1. Ao pequeno-almoço nós _bebemos_ (beber) café com leite e _comemos_ (comer) pão com manteiga.
2. Vocês _aprendem_ (aprender) português numa escola de línguas?
3. Ela _parece_ -se (parecer) muito com o pai.
4. Eles agora _vivem_ (viver) no Porto.
5. No Verão raramente _chove_ (chover).
6. Quando ele está de férias _escreve_ (escrever) sempre aos amigos.
7. O texto é difícil. Eu não _compreendo_ (compreender) nada.
8. Quando o telefone toca, é o filho que _atende_ (atender).
9. Tu _esqueces_ -te (esquecer) sempre do nome dela.
10. Eu _desço_ (descer) esta rua todos os dias para apanhar o autocarro.
11. Ela não _conhece_ (conhecer) a professora de português.
12. Quem é que _responde_ (responder) a esta pergunta?

6.3. Responda às seguintes perguntas com o verbo na forma correcta.

1. — Comes pão com manteiga ao pequeno-almoço?
   — _Como._
2. — Bebes café depois do almoço?
   — _Bebo._
3. — Resolves sempre os problemas?
   — _Resolvo._
4. — Conheces o director da escola?
   — _Conheço._
5. — Aprendes línguas com facilidade?
   — _Aprendo._
6. — Vives em Lisboa?
   — _Vivo._
7. — Chove muito no teu país?
   — _Chove._
8. — Escreves à família quando estás de férias?
   — _Escrevo._
9. — Atendes o telefone?
   — _Atendo._
10. — Compreendes bem este exercício?
   — _Compreendo._

11. — Comem uns bolinhos?
   — _Comemos._
12. — Bebem um sumo de laranja?
   — _Bebemos._
13. — Correm todas as manhãs?
   — _Corremos._
14. — Vivem fora de Lisboa?
   — _Vivemos._
15. — Já conhecem o meu irmão?
   — _Conhecemos._
16. — Compreendem o texto?
   — _Compreendemos._
17. — Descem de elevador?
   — _Descemos._
18. — Aprendem bem línguas?
   — _Aprendemos._
19. — Resolvem-me o problema?
   — _Resolvemos._
20. — Recebem muitas cartas?
   — _Recebemos._

Unidade 7   Verbos irregulares em *-er*

(presente do indicativo)

Ela **vê** televisão
todas as noites.

Ele **lê** o jornal todos os dias.

Ela **faz** o pequeno-almoço
todas as manhãs.

poer

	ver	ler	fazer	dizer	trazer	saber	poder	querer	perder	pôr
eu	*vejo*	*leio*	*faço*	*digo*	*trago*	*sei*	*posso*	quero	*perco*	ponho
tu	*vês*	*lês*	fazes	dizes	trazes	sabes	podes	queres	perdes	*pões*
você ele ela	*vê*	*lê*	*faz*	*diz*	*traz*	sabe	pode	*quer*	perde	*põe*
nós	vemos	lemos	fazemos	dizemos	trazemos	sabemos	podemos	queremos	perdemos	*pomos*
vocês eles elas	*vêem*	*lêem*	fazem	dizem	trazem	sabem	podem	querem	perdem	*põem*

— Amanhã **trago**-te um presente.

— A Ana **põe** sempre a mesa para o almoço.

— Eu **faço** anos em Abril e o João **faz** anos em Maio.

— **Querem** mais bolo?
— Eu **quero**, mas ele não **quer**.

— Não **posso** sair, porque tenho de estudar.

— Ele **sabe** falar muitas línguas.

— **Sabem** a que horas é o filme?
— Não, não **sabemos**.

— Eles **dizem** que chegam amanhã.

— **Pode** dizer-me as horas, por favor?
— São 10h15.

— **Lês** bem as legendas, John?
— **Leio**, mas não compreendo tudo.

— Os meus filhos **vêem** muito televisão.

— Às vezes **perco** o autocarro das 8h.

Unidade 7   Exercícios

7.1. Escreva os seguintes verbos na forma correcta:

1. saber / eu *sei*
2. trazer / ele *traz*
3. ver / eles *vêem*
4. dizer / eu *digo*
5. querer / nós *queremos*
6. poder / eu *posso*
7. pôr / ela *põe*
8. ler / vocês *lêem*
9. trazer/ eu *trago*
10. querer / ela *quer*
11. ver / eu *vejo*
12. ler / você *lê*
13. fazer / eu *faço*
14. ler / eu *leio*
15. pôr / eles *põem*
16. pôr / eu *ponho*
17. fazer / ela *faz*
18. perder / eu *perco*
19. ver / elas *vêem*
20. ler / vocês *lêem*

7.2. Complete as seguintes frases com os verbos listados na forma correcta:

> **pôr / fazer / ver / saber / ler / querer**

1. — *Podes* _____ sair hoje à noite?
   — Hoje à noite não *posso.* _____ Tenho de estudar.
2. Ao fim-de-semana eles _____ *lêem* _____ sempre a revista do Expresso.
3. A Ana e o Pedro _____ *fazem* _____ anos em Janeiro.
4. O meu filho está no 1º ano e já _____ *sabe* _____ ler.
5. Ela usa óculos, porque não _____ *vê* _____ bem ao longe.
6. — Quem _____ *quer* _____ mais café?
   — Eu _____ *quero.* _____
7. — Quem é que _____ *põe* _____ a mesa?
   — Ao almoço _____ *ponho* _____ eu; ao jantar é a Ana que _____ *põe.* _____

7.3. Faça frases com o verbo na forma correcta:

1. (ele / querer / outro café) *Ele quer outro café.*
2. (eu / nunca / ver / televisão) *Eu nunca vejo televisão*
3. (ela / fazer / anos / hoje) *Ela faz anos hoje.*
4. (amanhã / eu / fazer / uma festa / em casa) *Amanhã eu faço uma festa em casa.*
5. (eu / não / saber / o nome / dela) *Eu não sei o nome dela.*
6. (o sr. Ramos / ler / o jornal / todos os dias) *O sr. Ramos lê o jornal todos os dias*
7. (eu / trazer / uma prenda / para / a Ana) *Eu trago uma prenda para a Ana.*
8. (eu / não / poder / sair / à noite) *Eu não posso sair à noite.*
9. (eles / trazer / os livros / na pasta) *Eles trazem os livros na pasta.*
10. (eu / ler / o jornal / todos os dias) *Eu leio o jornal todos os dias.*
11. (ela / saber / falar / muitas / línguas) *Ela sabe falar muitas línguas.*
12. (a empregada / trazer / o pão / de manhã) *A empregada traz o pão de manhã*
13. (hoje / eu / querer / ficar / em casa) *Hoje eu quero ficar em casa.*
14. (ele / ver / mal / ao longe) *Ele vê mal ao longe.*
15. (eu / já / ler / o jornal / em português) *Eu já leio o jornal em português.*
16. (eu / nunca / perder / o chapéu de chuva) *Eu nunca perco o chapéu de chuva.*

Unidade 8   Verbos regulares e irregulares em -*ir*;
Verbos em -*air* (presente do indicativo)

Ela **parte** amanhã para Paris.

Eles **preferem** ir ao cinema.

Ele **vai** para a escola a pé.

Ele não **consegue** estudar com barulho.

Regulares

	abrir
eu	abr**o**
tu	abr**es**
você ele ela	abr**e**
nós	abr**imos**
vocês eles elas	abr**em**

Irregulares

pedir	ouvir	dormir	subir	ir	vir
peço	*ouço/oiço*	*durmo*	*subo*	*vou*	*venho*
pedes	ouves	dormes	sobes	*vais*	*vens*
pede	ouve	dorme	sobe	*vai*	*vem*
pedimos	ouvimos	dormimos	*subimos*	vamos	*vimos*
pedem	ouvem	dormem	sobem	*vão*	*vêm*

☞		1ª pessoa do singular
	cons**egui**r	**eu consigo**, tu consegues…
	v**e**stir	**eu visto**, tu vestes…
	d**e**spir	**eu dispo**, tu despes…
	s**e**ntir	**eu sinto**, tu sentes…
	pref**e**rir	**eu prefiro**, tu preferes…
	corr**i**gir	**eu corrijo**, tu corriges…

	sair
eu	**saio**
tu	**sais**
você ele ela	**sai**
nós	**saímos**
vocês eles elas	**saem**

	cair
eu	**caio**
tu	**cais**
você ele ela	**cai**
nós	**caímos**
vocês eles elas	**caem**

— **Partimos** para Espanha na próxima semana.
— Quando estou com frio, **visto** a camisola.
— O professor **corrige** os exercícios amanhã.
— As lojas **abrem** às 10h00.
— Quando chega a casa, ela **despe** o casaco.
— Nós **saímos** da escola às 13h00.
— À noite eles nunca **saem**.

— **Durmo** muito bem. Nunca **oiço** barulho.
— Eles **reunem**-se todos os sábados em casa da Ana.
— **Sentes**-te bem?
— **Sinto**-me cansado.
— Já é tardíssimo, Pedro.
— **Peço** imensa desculpa pelo atraso.
— Cuidado! Ainda cais daí.
— Não caio nada!
— Eles saem de casa às 8h00.

Unidade 8   Exercícios

8.1. Escreva os seguintes verbos na forma correcta:

1. abrir / eles _abrem_   5. dormir / eu _durmo_   9. sentir / eu _sinto_   13. ir / eu _vou_
2. pedir / eu _peço_   6. sair / elas _saem_   10. vestir / tu _vestes_   14. vir / eles _vêm_
3. cair / nós _caímos_   7. conseguir / eu _consigo_   11. partir / ele _parte_   15. ir / nós _vamos_
4. ouvir / eu _ouço_   8. subir / nós _subimos_   12. preferir / eu _prefiro_   16. vir / eu _venho_

8.2. Faça frases com os verbos na forma correcta:

1. (eu / despir / o casaco) _Eu dispo o casaco._
2. (o empregado / servir / o café / à mesa) _O empregado serve o café à mesa._
3. (ela / sair / com / os amigos) _Ela sai com os amigos._
4. (o senhor / seguir / sempre / em frente) _O senhor segue sempre em frente_
5. (os bancos / abrir / às 8h30) _Os bancos abrem às 8h30._
6. (ela / dividir / o bolo / com / os irmãos) _Ela divide o bolo com os irmãos_
7. (eu / preferir / ficar / em casa) _Eu prefiro ficar em casa._
8. (o avião / partir / às 17h00) _O avião parte às 17h00._
9. (nós / ir / ao cinema) _Nós vamos ao cinema._
10. (eu / não / conseguir / estudar / com barulho) _Eu não consigo estudar com barulho_
11. (eles / vir / de autocarro) _Eles vêm de autocarro._

8.3. Responda, usando só o verbo da pergunta:

1. — Sentes-te bem?
   — _Sinto._
2. — Consegues estudar à noite?
   — _Consigo_
3. — Dormes bem?
   — _Durmo_
4. — Vais ao concerto?
   — _Vou_
5. — Sais com os amigos?
   — _Saio_
6. — Pedes desculpa quando te atrasas?
   — _Peço_
7. — Ouves música?
   — _Oiço/ouço_
8. — Vestes camisolas no Inverno?
   — _Visto_
9. — Vais à festa?
   — _Vou_
10. — Partes amanhã?
    — _Parto_

1ª pess. do sing. (eu)

11. — Sentem-se bem?
    — _Sentimos._
12. — Sobem de elevador?
    — _Subimos_
13. — Vão ao cinema?
    — _Vamos_
14. — Ouvem o noticiário?
    — _Ouvimos_
15. — Partem hoje?
    — _Partimos_
16. — Conseguem estudar com barulho?
    — _Conseguimos_
17. — Vão à escola?
    — _Vamos_
18. — Preferem ficar em casa?
    — _Preferimos._
19. — Despem os casacos?
    — _Despimos_
20. — Saem hoje à noite?
    — _Saímos_

1ª pess. do plural (nós)

Unidade 9 estou a fazer *(realização prolongada no presente)*
e faço *(presente do indicativo)*

— O que é que a Ana **está a fazer**?
— A Ana **está a jogar** ténis.

— O que é que ela **faz** todos os sábados?
— Ela **joga** ténis todos os sábados.

— A Ana **está a jogar** futebol?
— **Não**, **não está**. **Está a jogar** ténis.

— A Ana **joga** futebol?
— **Não**, **não joga**. **Joga** ténis.

— Agora não posso sair. **Estou a trabalhar**.
— O João **está a tomar** o pequeno-almoço neste momento.
— É melhor levar o chapéu de chuva. **Está a chover**.
— Podes desligar o rádio. Não **estou a ouvir**.
— **Trabalho** todos os dias das 9h00 às 18h00.
— O João **toma** o pequeno-almoço todas as manhãs.
— No Inverno **chove** muito.
— Normalmente não **oiço** rádio.
— **Estudamos** português todos os dias.

— O que é que **estão a fazer**?
— **Estamos a estudar**.

- Estes verbos só se usam na forma simples:
  querer / **gostar** / **precisar** / **preferir** / **saber** / **esquecer-se** / **lembrar-se** / **ir** / **vir**

— **Quer** um café?
— **Gosto** muito de café, mas agora não **quero**, obrigado.

— **Sabes** o nome dela?
— Nunca **sei** o nome dela. **Esqueço-me** sempre.

— **Lembras-te** do nosso professor?
— **Lembro-me** muito bem.

— Agora **prefiro** tomar chá.

— **Preciso** de comprar um dicionário.

— **Vou** para casa agora.

— **Venho** sempre de autocarro.

Unidade 9   Exercícios

9.1. Responda às seguintes perguntas:

1. Sou empregada doméstica.	2. Somos jornalistas.	3. Sou professor.	4. Sou secretária.	5. Somos estudantes.

1. O que é que ela faz todos os dias?

   (arrumar / a casa) *Ela arruma a casa todos os dias.*
   O que é que ela está a fazer agora?

   (lavar / o chão) *Agora está a lavar o chão.*
   Ela está a fazer as camas?

   Não, não está.

2. O que é que eles fazem?
   (fazer / reportagens) *Eles fazem as reportagens.*
   O que é que estão a fazer agora?
   (entrevistar / um político) *Agora estão a entrevistar um político.*
   Eles estão a escrever um artigo?

   Não, não estão

3. O que é que ele faz?
   (ensinar / português) *Ele está a ensinar o português.*
   O que é que ele está a fazer agora?
   (corrigir / exercícios) *Ele está a corrigir os exercícios.*
   Ele está a explicar os exercícios?

   Sim, está.

4. O que é que ela faz?
   (escrever / cartas) *Ela escreve cartas.*
   O que é que ela está a fazer agora?
   (atender / o telefone) *Agora ela está a atender o telefone.*
   Ela está a falar com o chefe?

   Não, não está

5. O que é que eles fazem?
   (estudar / línguas) *Eles estudam línguas*
   O que é que eles estão a fazer agora?
   (fazer / exercícios) *Agora eles estão a fazer os exercícios.*
   Eles estão a estudar?

   Sim, estão

9.2. Complete as frases com o verbo na forma correcta.
1. Desculpe, você *fala* ____ português? (falar)
2. Eles não __*vêem*__ muito televisão. (ver)
3. Agora eu __*estou a arranjar.*__ o almoço. (arranjar)
4. De manhã ela __*bebe*__ café com leite e __*come*__ pão com manteiga. (beber / comer)
5. Eles __*jogam*__ futebol ao domingo. (jogar)
6. Hoje é domingo e eles __*estão a jogar.*__ futebol. (jogar)
7. O que é que tu __*estás a fazer*__ agora? (fazer)
   __*Eu estou a estudar.*__ (estudar)
8. Vocês __*gostam*__ de cinema? (gostar)
   __*Sim, gostamos*__ muito. (gostar)
9. Podes desligar o rádio. Eu não __*estou a ouvir*__. (ouvir)
10. Ele não pode atender o telefone. __*Ele está a tomar um*__ duche. (tomar)

23

Unidade 10

tenho / tens / tem / temos / têm
*(presente do indicativo - verbo **ter**)*

Eles **têm** um apartamento em Lisboa.

Ele **tem** 20 anos.

Ela **tem** frio.

Eles **têm** muitos colegas na escola.

ter

eu	**tenho**
tu	**tens**
você ele ela	**tem**
nós	**temos**
vocês eles elas	**têm**

O sr. Ramos **tem** muito trabalho no escritório.

Tenho dois irmãos. O meu irmão **tem** 18 anos e a minha irmã **tem** 15 anos. Eu **tenho** 21 anos.

A nossa casa é muito grande. **Tem** 6 divisões e **tem** um grande jardim.

— O que é que **tens**?
— **Tenho** calor. Abre a janela, por favor.

— Quem é que **tem** um dicionário?
— **Tenho** eu. Aqui está.

— A Ana e o João **têm** muitos colegas na escola.

— Ela **tem** medo de ratos.

— Nunca **tenho** fome de manhã.

— Ele quer beber água. **Tem** muita sede.

Unidade 10   Exercícios

10.1. Complete com o verbo **ter** na forma correcta.

1. eu _tenho_
2. ele _tem_
3. nós _temos_
4. vocês _têm_
5. elas _têm_
6. tu _tens_
7. ela _tem_
8. eles _têm_
9. você _tem_
10. eu e a Ana _temos_
11. tu e o João _têm_
12. A Ana e o João _têm_

10.2. Ponha o verbo **ter** na forma correcta.

1. Eles _têm_ 3 filhos.
2. Nós _temos_ um apartamento em Lisboa.
3. Ele _tem_ um carro novo.
4. Quem é que _tem_ uma caneta vermelha?
5. Eu _tenho_ uma festa no sábado.
6. Hoje já não _tenho_ tempo, mas amanhã falo com vocês.
7. Eles _têm_ sempre muito trabalho da escola e às vezes _têm_ dificuldade nos exercícios.
8. Quantos anos _tens_ (tu)?
   Tenho 15 anos.
9. Ela _tem_ muitos problemas com os filhos. Às vezes já não _tenho_ paciência.
10. Estou cheia de calor e _tenho_ muita sede.

10.3. Responda com o verbo **ter** na forma correcta.

1. — Tens uma caneta preta? (não / ela)
   — *Não, não tenho, mas ela tem.*
2. — Tens irmãos? (sim / dois)
   — *Tenho. Tenho dois irmãos.*
3. — Vocês têm um dicionário? (Não / ele)
   — _Não. Não tenho, mas ele tem._
4. — A senhora tem filhos? (Sim / três)
   — _Tenho. Tenho três_
5. — Tens um apartamento em Lisboa? (Não / eles)
   — _Não. Não tenho, mas eles têm._
6. — Ela tem irmãos? (Sim / quatro)
   — _Tem. Tem quatro irmãos._
7. — Tem uma borracha? (Não / a Ana)
   — _Não. Não tenho, mas a Ana tem._
8. — Vocês têm carro? (Sim / dois)
   — _Temos. Temos dois carros._
9. — O senhor tem um jornal? (Não / ela)
   — _Não. Não tenho, mas ela tem._
10. — Tu e a Ana têm amigos? (Sim / muitos)
    — _Temos. Temos muitos amigos._
11. — Tens um lápis? (Não / Pedro)
    — _Não. Não tenho, mas o Pedro tem._
12. — Vocês têm frio? (Não / ele)
    — _Não. Não tenho, mas ele tem._

Unidade 11 eu fui / estive / tive *(pretérito perfeito simples; verbos irregulares)*

Ontem à noite eles **foram** ao cinema.

O filme **foi** bom.

No fim-de-semana passado eu **fui** à praia.

No domingo passado eu **estive** com os meus amigos.

Ontem eu **tive** muito trabalho no escritório.

Pretérito perfeito simples (P.P.S.)
verbos irregulares

	ser	ir	estar	ter
eu	fui	fui	estive	tive
tu	foste	foste	estiveste	tiveste
você ele ela	foi	foi	esteve	teve
nós	fomos	fomos	estivemos	tivemos
vocês eles elas	foram	foram	estiveram	tiveram

— Na semana passada **estive** doente. **Tive** gripe.
— Agora estou bem: já não tenho febre.

— Tenho aulas todos os dias, mas ontem não **tive** porque o professor **foi** ao médico.

— Ontem **fomos** aos anos do Pedro. A festa **foi** óptima.

— Ele **esteve** uma semana no Porto.
— **Foi** lá em negócios. **Foi** uma viagem muito cansativa.

Unidade 11 Exercícios

11.1. Complete com os seguintes verbos no **p.p.s.**:

1. ser / eu _fui_
2. ter / você _teve_
3. estar / ele _esteve_
4. ir / ela _foi_
5. ser / ele _foi_
6. ter / eu _tive_
7. estar / eu _estive_
8. ter / tu _tiveste_
9. ser / nós _fomos_
10. ir / eu _fui_
11. ser / eles _foram_
12. ter / nós _tivemos_
13. estar / você _esteve_
14. ir / tu _foste_
15. ter / ela _teve_
16. ser / vocês _foram_
17. estar / nós _estivemos_
18. ter / eles _tiveram_
19. estar / tu _estiveste_
20. ser / tu _foste_
21. ir / nós _fomos_
22. ter / vocês _tiveram_
23. ir / você _foi_
24. estar / eles _estiveram_

11.2. Responda com os verbos indicados no **p.p.s.**. Siga o exemplo:

ser

1. — A viagem **foi** boa?
   — _Foi_ , _foi_ .
2. — As férias foram divertidas?
   — _foram_ , _foram_ .
3. — O filme foi bom?
   — _foi_ , _foi_ .
4. — O espectáculo foi interessante?
   — _foi_ , _foi_ .
5. — O exame foi difícil?
   — _foi_ , _foi_ .
6. — Foste bom aluno na escola?
   — _fui_ , _fui_ .

ir

7. — Vocês **foram** à escola?
   — _Fomos_ , _fomos_ .
8. — O senhor foi à reunião?,
   — _fui_ , _fui_ .
9. — Foste à praia?
   — _fui_ , _fui_ .
10. — Os senhores foram a Sintra?
    — _fomos_ , _fomos_ .
11. — O Pedro foi para casa?
    — _foi_ , _foi_ .
12. — Foste ao cinema?
    — _fui_ , _fui_ .
13. — Vocês foram ao supermercado?
    — _fomos_ , _fomos_ .

ter

14. — O senhor **teve** muito trabalho?
    — _Tive_ , _tive_ .
15. — Vocês tiveram dificuldades com os exercícios?
    — _tivemos_ , _tivemos_ .
16. — Tiveste problemas no banco?
    — _tive_ , _tive_ .
17. — Teve aulas ontem?
    — _tive_ , _tive_ .
18. — Tiveste frio de noite?
    — _Tive_ , _Tive_ .

estar

19. — Vocês **estiveram** em casa ontem?
    — _Estivemos_ , _estivemos_ .
20. — Ela esteve no escritório?
    — _esteve_ , _esteve_ .
21. — Estiveste na festa do Pedro?
    — _estive_ , _estive_ .
22. — O senhor esteve no Porto?
    — _estive_ , _estive_ .
23. — Esteve doente?
    — _estive_ , _estive_ .
24. — A senhora esteve na reunião?
    — _estive_ , _estive_ .
25. — Estiveram com eles?
    — _estivemos_ , _estivemos_ .

11.3. Escreva frases sobre o **passado**.

1. Ele vai de carro para o trabalho.
   Ontem _ele foi de carro para o trabalho_
2. Vou ao supermercado.
   Hoje de manhã _fui ao supermercado_
3. Vamos ao cinema.
   Ontem à noite _fomos ao cinema_
4. Tenho um teste logo à tarde.
   Ontem à tarde _tive um teste_ .
5. Ela está doente.
   Na semana passada também _estive doente_ ,
6. Estou em casa hoje à noite.
   Ontem também _estive em casa_
7. O Pedro é um bom aluno.
   O irmão também _foi um bom aluno_ na escola.
8. Eles agora estão no Porto.
   No mês passado _estiveram_ em Lisboa.
9. Estes exercícios são fáceis.
   Os de ontem _foram_ mais difíceis.
10. A Ana e o Pedro vão a uma festa.
    No sábado passado também _foram_ _a uma festa_ .

Unidade 12   Verbos regulares em *-ar*, *er* e *-ir*

(pretérito perfeito simples)

Ontem **trabalhei** das 9h até às 6h da tarde.

Na semana passada ela **escreveu** aos amigos.

Ontem à tarde ele **sentiu**-se mal e **foi** para casa.

Pretérito perfeito simples
verbos regulares

	-ar	-er	-ir
	falar	**comer**	**abrir**
eu	fal**ei**	com**i**	abr**i**
tu	fal**aste**	com**este**	abr**iste**
você ele ela	fal**ou**	com**eu**	abr**iu**
nós	fal**ámos**	com**emos**	abr**imos**
vocês eles elas	fal**aram**	com**eram**	abr**iram**

☞	1ª pessoa do singular
come**ç**ar	**eu come**c**ei**, tu começaste...
fi**c**ar	**eu fi**qu**ei**, tu ficaste...
pa**g**ar	**eu pa**gu**ei**, tu pagaste...

— Ontem à noite **ficámos** em casa.

— **Comi** tantos chocolates que **fiquei** mal disposto.

— A camioneta para o Porto já **partiu**.

— A Ana **nasceu** no Porto e sempre lá **viveu**.

— Ao jantar **comeram** carne e **beberam** vinho tinto.

Unidade 12   Exercícios

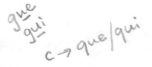

(qu)

que qui c → que/qui

ce/ci

12.1. Complete com os seguintes verbos no **p.p.s.**:

1. comprar / ele _comprou_   4. partir / eles _partiram_   7. ficar / eu _fiquei_   10. perder / vocês _perderam_
2. dormir / tu _dormiste_   5. nascer / ela _nasceu_   8. comer / nós _comemos_   11. começar / eu _comecei_
3. falar / nós _falámos_   6. pagar / eu _paguei_   9. conseguir / você _conseguiu_   12. abrir / tu _abriste_.

12.2. Responda às seguintes perguntas usando só o verbo:

1. **Falaste** com ele?   _Falei._
2. **Ouviste** as notícias?   _Ouvi_.
3. **Compraram** os bilhetes?   _Comprámos_.
4. **Trabalhaste** muito?   _trabalhei_.
5. **Dormiu** bem?   _Dormi_.
6. **Pagaste** as contas?   _paguei_.
7. **Perderam** os documentos?   _perdemos._
8. **Tomaste** o pequeno-almoço?   _tomei_.
9. **Encontraram** a rua?   _encontrámos_
10. **Leste** o jornal?   _li_

12.3. O que é que a Ana fez no fim-de-semana passado?

	sábado	domingo
manhã	acordar às 10h00 tomar duche tomar o pequeno-almoço às 11h00 ir às compras	dormir até ao meio-dia almoçar fora
tarde	ler o jornal ouvir música	arrumar a casa escrever aos amigos telefonar à avó
noite	jantar fora ir ao cinema com os amigos voltar para casa à meia-noite	ficar em casa ir para a cama cedo

No sábado de manhã a Ana acordou às 10h00. _Tomou duche e tomou o pequeno-almoço às 11h00. Depois fui às compras._

À tarde a Ana leo o jornal e ouiu música.

À noite jantou fora, e fui ao cinema com os amigos.

À noite Voltou para casa à meia-noite.

No domingo _Almoçou fora, arrumou a casa_

À tarde telefonou à Avó, e à noite ficou em casa, escrever aos amigos. Fui para cama cedo.

29

Unidade 13 Verbos irregulares; verbos em -air

(pretérito perfeito simples)

Verbos irregulares
Pretérito perfeito simples

	dizer	trazer	fazer	querer	ver	vir	dar	saber	pôr	poder
eu	disse	trouxe	fiz	quis	vi	vim	dei	soube	pus	pude
tu	disseste	trouxeste	fizeste	quiseste	viste	vieste	deste	soubeste	puseste	pudeste
você ele ela	disse	trouxe	fez	quis	viu	veio	deu	soube	pôs	pôde
nós	dissemos	trouxemos	fizemos	quisemos	vimos	viemos	demos	soubemos	pusemos	pudemos
vocês eles elas	disseram	trouxeram	fizeram	quiseram	viram	vieram	deram	souberam	puseram	puderam

— O Pedro **fez** anos no fim-de-semana passado.

— Os amigos **deram**-lhe os parabéns
e **trouxeram**-lhe presentes.

— Como é que **vieste**?

— **Vim** de autocarro.

— **Vão** a pé?

— Não, **vamos** de táxi.

— Ele nunca **quis** estudar línguas.

— **Puseram** os casacos e **saíram**.

— Ontem não **pude** ir com vocês,
porque tinha de estudar.

— O que é que ele **disse**?

— **Disse** que estava muito cansado.

— A minha mãe nunca **soube** falar inglês.

— Ontem à noite não **saí**. Fiquei em casa.

— O meu filho **caiu** e partiu a cabeça.

Verbos em -air
Pretérito perfeito simples

	cair	sair
eu	caí	saí
tu	caíste	saíste
você ele ela	caiu	saiu
nós	caímos	saímos
vocês eles elas	caíram	saíram

Unidade 13   Exercícios

13.1. Complete com os seguintes verbos no **p.p.s.**:

1. pôr / eu _pus_
2. poder / você _pôde_
3. dar / ela _deu_
4. ver / eu _vi_
5. fazer / ele _fez_
6. querer / tu _quiseste_
7. vir / eu _vim_
8. trazer / você _trouxe_
9. saber / eles _souberam_
10. ver / nós _vimos_
11. trazer / elas _trouxeram_
12. pôr / ele _pôs_
13. vir / você _veio_
14. fazer / eu _fiz_
15. dar / nós _demos_
16. poder / eu _pude_

13.2. Complete com os verbos no **p.p.s.**.

1. Os meus vizinhos _fizeram_ muito barulho ontem à noite. (fazer)
2. O João não _quis_ ir ao cinema. (querer)
3. Ela _veio_ ontem e _trouxe_ presentes para todos. (vir, trazer)
4. Ele _pôs_ os óculos para ler o jornal. (pôr)
5. (Eu) não _pude_ ir com vocês à festa. (poder)
6. Ontem (nós) _vimos_ o professor no café. (ver)
7. O que é que vocês _fizeram_ no sábado passado? (fazer)
8. O Pedro e a Ana _vieram_ muito tarde para casa. (vir)
9. Ela _deu_ muitos erros no ditado. (dar)
10. (Tu) _viste_ televisão ontem à noite? (ver)
11. Eles não _souberam_ o que aconteceu. (saber)
12. Ele _viu_-me, mas eu não o _vi_. (ver)

13.3. Faça frases com os verbos no **p.p.s.**.

1. (ele / **vir** tarde para casa) *Ele veio tarde para casa.*
2. (eles / **trazer** presentes para todos) Eles trouxeram presentes para todos.
3. (eu / não **poder** ir ao cinema) Eu não pude ir ao cinema
4. (nós / **ver** um bom filme na TV) Nós vimos um bom filme na T.V.
5. (ninguém / **fazer** os exercícios) Ninguém fez os exercícios.
6. (vocês / **saber** o que aconteceu?) Vocês souberam o que aconteceu?
7. (os meus amigos / **dar** uma festa no sábado) Os meus amigos deram uma festa no sábado.
8. (ela / **querer** ficar em casa) Ela quis ficar em casa.
9. (eles / **pôr** os casacos e **sair**) Eles puseram os casacos e saíram
10. (o que é que tu / **fazer** ontem?) O que é que tu fizeste ontem?
11. (vocês / **trazer** os livros?) Vocês trouxeram os livros?
12. (eu / não **ver** o acidente) Eu não vi o acidente.
13. (o Pedro / não **poder** ir ao futebol) O Pedro não pôde ir ao futebol.
14. (quantos erros / **dar** a Ana na composição?) Quantos erros deu a Ana na composição?
15. (eu / **vir** de carro para a escola) Eu vim de carro para a escola.

Unidade 14   Conjugação pronominal reflexa; colocação do pronome

Ele **levanta-se** às 8h.

Eles **encontram-se** às 10h no café.

Ela **chama-se** Ana Silva.

Conjugação pronominal reflexa
levantar-se

eu	**levanto-***me*
tu	**levantas-***te*
você ele ela	**levanta-***se*
nós	**levantamo-***nos*
vocês eles elas	**levantam-***se*

Pronomes reflexos

me
te
se
nos
se

Colocação do pronome

- pronome **depois** do verbo (ordem normal):

    — Eu levanto-*me* sempre cedo.
    — E tu? Levantas-*te* cedo?

- pronome **antes** do verbo:

Verbos reflexos

Não	*me*	levanto cedo.	levantar-se
Nunca	*se*	deita tarde.	deitar-se
Também	*nos*	sentamos aqui.	sentar-se
Como	*te*	chamas?	chamar-se
Como é que	*te*	chamas?	chamar-se
Já	*se*	lavaram?	lavar-se
Ainda não	*me*	vesti.	vestir-se
Enquanto	*se*	lava, canta.	lavar-se
Todos	*se*	lembram bem dela.	lembrar-se
Ninguém	*se*	deitou tarde ontem.	deitar-se

— **Nunca** *me* lembro do teu número de telefone.

— Vocês deitam-*se* muito tarde?
— Não, deitamo-***nos*** sempre cedo.

— Ontem esqueci-*me* do chapéu de chuva na escola.

— Eles **já** *se* encontraram uma vez.

32

Unidade 14   Exercícios

14.1. Coloque correctamente o **pronome**.

1. Eu não *me* levanto_____ tarde.
2. _____ sente-*se*_____ aqui, D. Maria.
3. A Ana _____ veste -se_____ em 5 minutos.
4. À tarde eles _____ encontram -se_____ sempre no café.
5. Ninguém __se__ esqueceu _____ do chapéu de chuva?
6. Como __se__ chama _____ a professora?
7. Todos __se__ lembram __se__ do que aconteceu.
8. Vocês _____ deitam -se_____ muito tarde?
9. Já __te__ lavaste _____?
10. Ainda não __me__ lavei _____.

14.2. Responda com o verbo da pergunta.

1. — Eu **levanto-me** às 7h00. E tu?
   — Eu também __me levanto__ às 7h00.

2. — A que horas é que **nos encontramos**?
   — __encontramo-nos__ às 11h00 no café.

3. — Onde é que **nos sentamos**?
   — Tu __sentas-te__ aí e eu __Sento-me__ aqui.

4. — Como é que **se chama** a irmã dela?
   — __Chama-se__ Ana Silva.

5. — Vocês **deitam-se** muito tarde?
   — Não, __deitamo-nos__ sempre cedo.

6. — **Lembras-te** da Ana?
   — __Lembro-me__ muito bem.

7. — Onde é que **se esqueceu** do chapéu?
   — __esqueci-me__ do chapéu no autocarro.

8. — Já se lavaram, meninos?
   — Ainda não __nos lavámos__.

9. — **Lembras-te** a que horas é o jogo?
   — Não, não __me lembro__.

10. — Ontem **levantaram-se** cedo?
    — Eu __levantei-me__ às 8h00 e ela __levantou-se__ às 8h30.

Unidade 15   Verbos regulares e irregulares

(pretérito imperfeito do indicativo; aspecto durativo e frequentativo)

Quando **era** pequena, **brincava** sempre com bonecas.

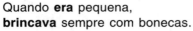

Antigamente **viviam** no campo.

Regulares
Pretérito imperfeito

	-ar	*-er*	*-ir*
	falar	**comer**	**abrir**
eu	fal**ava**	com**ia**	abr**ia**
tu	fal**avas**	com**ias**	abr**ias**
você ele ela	fal**ava**	com**ia**	abr**ia**
nós	fal**ávamos**	com**íamos**	abr**íamos**
vocês eles elas	fal**avam**	com**iam**	abr**iam**

Irregulares
Pretérito imperfeito

	ser	*ter*	*vir*	*pôr*
eu	**era**	**tinha**	**vinha**	**punha**
tu	**eras**	**tinhas**	**vinhas**	**punhas**
você ele ela	**era**	**tinha**	**vinha**	**punha**
nós	**éramos**	**tínhamos**	**vínhamos**	**púnhamos**
vocês eles elas	**eram**	**tinham**	**vinham**	**punham**

- O pretérito imperfeito usa-se para referir acontecimentos a decorrer no passado.

   aspecto durativo ———>   Antigamente ***moravam*** numa vivenda.

- O pretérito imperfeito usa-se quando falamos de acções habituais e repetidas no passado.

   aspecto frequentativo ——>   Depois da escola ***faziam*** <u>sempre</u> os trabalhos de casa.

Unidade 15   Exercícios

15.1. Complete com os seguintes verbos no **imperfeito**:

1. ser / eu _era_
2. ficar / ela _ficava_
3. pôr / você _punha_
4. andar / tu _andavas_
5. comer / nós _comíamos_
6. ter / ele _tinha_
7. ler / eles _liam_

8. ver / eles _viam_
9. ir / elas _iam_
10. ouvir / tu _ouvias_
11. fazer / vocês _faziam_
12. vir / eu _vinha_
13. estar / ele _estava_
14. pedir / nós _pedíamos_

15. querer / ela _queria_ me
16. levantar-se / eu _levantava-_
17. escrever / você _escrevia_
18. ajudar / tu _ajudavas_
19. ir / nós _íamos_
20. vir / vocês _vinham_
21. ser / tu _eras_

15.2. O que é que o Pedro **fazia** quando **andava** no colégio?

   Faça frases com os verbos no **imperfeito**.

1. (**levantar-se** às 6h da manhã) _Levantava-se às 6h da manhã._
2. (**fazer** as camas) _fazia as camas_
3. (**arrumar** a roupa) _arrumava a roupa._
4. (**tomar** duche) _tomava duche._
5. (depois **descer** até ao 1º andar para tomar o pequeno-almoço) _depois descia " " "._
6. (**comer** em silêncio) _comia em silêncio._
7. (**assistir** à missa das 7h) _assistia à missa das 7h._
8. (as aulas **começar** às 8h) _as aulas começavam às 8h._
9. (à tarde **fazer** ginástica) _à tarde fazia ginástica._
10. (das 17h às 18h **estudar** na biblioteca do colégio) _das 17h às 18h estudava na " " " "_
11. (às 19h **jantar** na cantina) _às 19h jantava na cantina._
12. (depois de jantar **conversar** com os amigos e **ver** televisão) _depois de jantar conversava_
13. (cerca das 21h **ir** dormir) _cerca das 21h ia dormir_

15.3. Complete com os verbos no **imperfeito**:

1. Quando eles _eram_ (ser) crianças, _viviam_ (viver) fora da cidade.
2. Por isso, _levantavam-se_ (levantar-se) muito cedo para ir à escola.
3. _saíam_ (sair) de casa às 7h e _iam_ (ir) de autocarro até à cidade.
4. Na escola, _tinham_ (ter) aulas das 8h até às 13h.
5. _voltavam_ (voltar) para casa, _almoçavam_ (almoçar) e _iam_ (ir) fazer os trabalhos de casa.
6. Depois, _brincavam_ (brincar) com os amigos no jardim.
7. À noite, _jantavam_ (jantar) cedo e em seguida _deitavam-se_ (deitar-se).

35

Unidade 16   costumar (imperfeito) + infinitivo

(acção habitual no passado)

Ele **costumava ir** a pé para o trabalho;
agora vai de carro.

Costumava usar óculos;
agora uso lentes de contacto.

	Acção habitual no passado	
	costumar (imp.) + infinitivo	
eu	**costumava**	
tu	**costumavas**	
você ele ela	**costumava**	**ler** **trabalhar**
nós	**costumávamos**	
vocês eles elas	**costumavam**	**viajar**

Acção habitual

no passado	no presente
Costumávamos viajar muito; .	*agora* **viajamos** pouco.
Quando era nova, **costumava viver** em casa dos pais;	*agora* **vive** sozinha.
À sexta-feira à noite **costumava ficar** em casa;	*agora* **saio** sempre.
Naquele tempo **costumava haver** pouco trânsito;	*agora* **há** mais.
Quando morava na cidade, **costumava andar** de carro;	*agora* **moro** no campo e **ando** a pé.

Unidade 16   Exercícios

16.1. Faça frases com o verbo no **imperfeito** e no **presente do indicativo**.

1. (eles) / levantar-se / cedo - agora / tarde _Costumavam levantar-se cedo; agora levantam-se tarde._
2. (eu) / trabalhar / num escritório - agora / num banco _costumava trabalhar num escritório agora trabalho num banco._
3. Ao domingo / (eles) / ficar / em casa - agora / ir / ao cinema _Ao domingo costumavam ficar em casa, agora vão ao cinema._
4. (nós) / ter férias / em Julho - agora / em Agosto _Costumávamos ter férias em Julho, agora temos em Agosto._
5. (ele) / ser / muito gordo - agora / magro _Costumava ser muito gordo agora é magro_
6. A Ana / estudar / pouco - agora / muito _A Ana costumava estudar pouco, agora estuda muito_
7. O sr. Machado / chegar atrasado - agora / a horas _O sr. Machado costumava chegar atrasado, agora chega cedo._
8. (eu) / praticar desporto - agora / não fazer nada _Eu costumava praticar desporto, agora não faço nada._
9. Aos sábados / (ela) / ir à praça - agora / ao supermercado _Aos sábados ela costumava ir à praça, agora vai ao supermercado._
10. As crianças / brincar em casa - agora / no jardim _As crianças costumavam brincar em casa, agora brincam no jardim._
11. O João / viver com os pais - agora / sozinho _O João costumava viver com os pais, agora vive sozinho._

16.2. Faça frases com os verbos no **imperfeito**.

1. máquinas de lavar // lavar tudo à mão
   Antigamente não havia máquinas de lavar.
   As pessoas costumavam lavar tudo à mão.
2. aviões // viajar de comboio
   Antigamente não havia aviões.
   As pessoas costumavam viajar de comboio.
3. carros // andar mais a pé
   Antigamente não havia carros.
   As pessoas costumavam andar mais a pé.
4. telefones // escrever cartas
   Antigamente não havia telefones.
   As pessoas costumavam escrever cartas.
5. televisão // conversar mais
   Antigamente não havia televisão.
   As pessoas costumavam conversar mais.
6. cinema // ir ao teatro
   Antigamente não havia cinema.
   As pessoas costumavam ir ao teatro.

16.3. O que é que eles **costumavam fazer**, quando viviam no campo?

1. (levantar-se cedo) _Costumavam levantar-se cedo._
2. (a mãe / fazer compras / na mercearia local) _A mãe costumava fazer compras na mercearia local._
3. (as crianças / brincar / na rua) _As crianças costumavam brincar na rua._
4. (à tarde / (eles) / dar passeios de bicicleta) _À tarde costumavam dar passeios de bicicleta._
5. (aos domingos / (eles) / fazer um piquenique) _Aos domingos costumavam fazer um piquenique._

Unidade 17

idade e horas no passado;
acções simultâneas no passado

(pretérito imperfeito do indicativo)

Tinha 4 anos quando fui ao cinema pela primeira vez.

Era meia-noite quando a festa acabou.

> **pretérito imperfeito do indicativo**
>
> • **idade**
> • **horas** > **no passado**

Acções simultâneas no passado

Hoje de manhã		
Enquanto a Ana tomava duche	/	a irmã fazia as camas

pretérito imperfeito do indicativo
acções simultâneas no passado

Enquanto a Ana tomava duche,

a irmã fazia as camas.

Unidade 17   Exercícios

17.1. Complete as frases com os verbos **ser** ou **ter** no **imperfeito**.

1. —Quantos anos _tinhas_ quando foste para a escola?
   — _Tinha_ 6 anos. Mas o meu irmão _tinha_ 5 anos.

2. _Eram_ 7 horas quando me levantei.

3. Chegaram muito tarde ontem à noite. Já _era_ meia-noite.

4. A minha mãe _tinha_ 18 anos e o meu pai _tinha_ 20 quando se conheceram.
   Eram muito jovens.

5. Ainda não _eram_ 8 horas quando saímos de casa.

17.2. Faça frases com os verbos no **imperfeito**.

1. (ele / vestir-se // ela / arranjar o pequeno-almoço)
   Enquanto ele se vestia, ela arranjava o pequeno-almoço.

2. (os filhos / tomar duche // a mãe / arrumar os quartos)
   Enquanto os filhos tomavam duche, a mãe arrumava os quartos.

3. (eu / ver televisão // ele ler o jornal) ✓
   Enquanto eu via televisão, ele lia o jornal.

4. (eles / preparar as bebidas // nós / pôr a mesa)
   Enquanto eles preparavam as bebidas, nós púnhamos a mesa.

5. (ela / estar ao telefone // tomar notas)
   Enquanto ela estava ao telefone, tomava notas

6. (a Ana e o João / estudar // ouvir música)
   Enquanto a Ana e o João estudavam, ouviam música.

7. (a orquestra / tocar // o sr. Ramos / dormir)
   Enquanto a orquestra tocava, o sr. Ramos dormia.

8. (as crianças / brincar // nós / conversar)
   Enquanto as crianças brincavam, nós conversávamos.

9. (o professor / ditar // nós / escrever os exercícios)
   Enquanto o professor ditava, nós escrevíamos os exercícios

10. (a empregada / limpar a casa // eu / tratar das crianças)
    Enquanto a empregada limpava a casa, eu tratava das crianças.

Unidade 18   estava a fazer *(acção a decorrer no passado)*

e **fiz** *(acção pontual - p.p.s.)*

A Joana **estava a ler** um livro.

O telefone **tocou**.

A Joana **estava** a ler um livro <u>quando</u> o telefone **tocou**.

Imperfeito   vs.   **p.p.s.**

imperfeito = acção a decorrer (~)
p.p.s.   = acção pontual (•)

A Joana **estava** a ler
~~~~~~~~~ • ~~~~~~~~
<u>quando</u> o telefone **tocou**.

---

p.p.s.

Ontem à noite
21h|- - - - - - - - - - - - - - -|**23h**
[Vimos o filme   ]
(acção completa)

Começámos a ver o filme às 21h e **acabámos** às 23h.

---

imperfeito

Ontem à noite
21h|~~~~~~~~~~~~~~~~~|**23h**
[estávamos a ver o filme]
(acção a decorrer)

— O que é que estavam a fazer às 22h30?
— **Estávamos a ver** o filme.

— **Estava a ver** televisão quando me **telefonaste**.
— Quando **saímos** de casa, **estava a chover**.
— Ontem **choveu** o dia todo.
— Os alunos **estavam a trabalhar** quando o professor **entrou**.
— Hoje de manhã **vi** a Ana. **Estava** no café a tomar o pequeno-almoço.

Unidade 18   Exercícios

18.1. Faça frases, usando o **imperfeito** ou o **p.p.s.**.

1. (ela / ler o jornal)   *Ela estava a ler o jornal.*
   (o telefone / tocar)   *O telefone tocou.*
   (ela / atender o telefone) *Ela atendeu o telefone.*
2. (o João / dormir)   O João estava a dormir.
   (a mãe / entrar)   A mãe entrou
   (ele / levantar-se) Ele levantou-se
3. (o sr. Pinto / pintar a sala)   O sr. Pinto ~~pintou~~ a sala.   *estava a pintar a sala*
   (ele / cair do escadote)   Ele caiu do escadote.
   (ele / partir o braço)   Ele partiu o braço.
4. (eles / estar no jardim)   Eles estavam no jardim
   (começar a chover)   Começou a chover
   (eles / ir para casa)   Eles foram para casa.
5. (eu / ouvir música)   Eu ~~ouvia~~ música   *estava a ouvir*
   (o chefe / chegar)   O chefe chegou
   (eu / desligar o rádio)   Eu desliguei o rádio

18.2. Faça frases com os verbos no **imperfeito** e **p.p.s.**.

1. (eles / chegar // a empregada / arrumar a casa)

   A empregada estava a arrumar a casa quando eles chegaram.
2. (O João / tomar duche // o telefone / tocar) O João estava a tomar um duche quando *o telefone tocou.*
3. (chover // nós / sair de casa) Nós saímos de casa quando choveu. ✗
4. (os alunos / trabalhar // o professor / entrar) Os alunos entraram quando o professor *estava a trabal* ✗
5. (eu / ver televisão // os meus amigos / tocar à porta) *
6. (eles / jogar futebol // começar a chover) Eles estavam a jogar futebol quando começou *a chover.*
7. (nós / trabalhar // o computador / avariar-se) Nós estávamos a trabalhar no computador *quando ele avariou-se*

   * Eu estava a ver televisão quando os meus amigos tocaram à porta.

18.3. Complete com o **imperfeito** ou **p.p.s.**.

1. *Estava a chover* (chover) quando (eu) *saí* (sair) de casa.
2. O que é que *estavas a fazer* (fazer) quando te *telefonei* (telefonar)?
3. Ontem à noite (eu) não __tinha__ (ter) fome. Por isso, não __comi__ (comer) nada.
4. A Joana não __estava__ (estar) em casa quando eu lá __fui__ (ir).
5. O carteiro __chegou__ (chegar) enquanto nós __tomávamos__ (tomar) o pequeno-almoço.
6. Eu __estava__ (estar) atrasado, mas os meus amigos __estavam__ (estar) à espera quando (eu) __cheguei__ (chegar).
7. Ele não __foi__ (ir) à festa. __Estava__ (estar) doente.
8. O que é que vocês __fizeram__ (fazer) no fim-de-semana passado? (Nós) __fomos__ (ir) ao cinema.
9. Ontem às 20h (eu) ainda __trabalhava__ (trabalhar). (Eu) __saí__ (sair) do escritório às 22h.
10. Quando (nós) __encontrámos__ (encontrar) a Ana, ela __trazia__ (trazer) um vestido preto.
11. Enquanto (eu) __tomava__ (tomar) café na esplanada, (eu) __ouvi__ (ouvir) um grande barulho. (Eu) __levantei-me__ (levantar-se), __olhei__ (olhar) à volta, mas não __vi__ (ver) nada.
12. Quando o João __era__ (ser) pequeno, (ele) __era__ (ser) gordo e __usava__ (usar) óculos.
13. A irmã dele, ao contrário, __era__ (ser) muito magra e não __tinha__ (ter) óculos.
14. Ele __estava__ (estar) com pressa quando (nós) __falámos__ (falar) com ele.
15. Quando (eles) __vinham__ (vir) para Lisboa, (eles) __viram__ (ver) um acidente na auto-estrada.

41

Unidade 19

Imperfeito de cortesia; imperfeito com valor de condicional

Queria um café, por favor.

Podia dizer-me as horas, por favor?

Gostava de viver num castelo.

- Usamos o **imperfeito**, forma de cortesia, para fazer delicadamente uma afirmação:

  — **Queria** falar com o Dr. Nunes, por favor.

  — Vamos ao cinema?
  — **Preferia** ir ao teatro.

  — **Queria** uma bica e um bolo, se faz favor.

- Usamos o **imperfeito**, forma de cortesia, para fazer delicadamente um pedido:

  — **Podia** dizer-me onde é a Av. da República?

  — **Trazia**-me um copo de água, por favor?

  — **Dizia**-me as horas, se faz favor?

- Usamos o **imperfeito** (=condicional) para expressar um desejo:

  — O meu filho **queria** ser médico.

  — **Gostava** de fazer uma grande viagem.

- Usamos o **imperfeito** (= condicional) para falar de acções pouco prováveis de acontecerem, porque a condição de que dependem não se realiza no presente.

  — Eu **ia** com vocês, mas infelizmente não tenho tempo.

  — Sem a tua ajuda, João, eu não **podia** acabar o trabalho a tempo.

Unidade 19   Exercícios

19.1. Complete as perguntas com o verbo no **imperfeito** (3ª pessoa singular).

1. _Podia_ (poder) dizer-me onde ficam os Correios, por favor?
2. _Trazia_ -nos (trazer) a lista, se faz favor?
3. _Passava_ -me (passar) o açúcar, por favor?
4. _Dizia_ -me (dizer) as horas, por favor?
5. _Dava_ -me (dar) uma informação, por favor?

19.2. Complete com os verbos no **imperfeito**.

1. A Ana _gostava_ (gostar) de tirar um curso nos Estados Unidos.
2. A minha irmã mais nova _queria_ (querer) ser professora.
3. Eu _ia_ (ir) com vocês, mas tenho de estudar.
4. Nós não _conseguíamos_ (conseguir) encontrar a rua sem o mapa.
5. Hoje à noite (eu) _preferia_ (preferir) ficar em casa.
6. De metro (tu) _chegavas_ (chegar) mais depressa.
7. Os meus filhos _adoravam_ (adorar) ir à Eurodisney!
8. Já são 19h. (Eu) _queria_ (querer) acabar o trabalho às 18h!
9. Ele _ficava_ (ficar) muito contente com o teu telefonema.
10. Com a ajuda do professor _era_ (ser) mais fácil resolver o exercício.
11. Com tanto calor _apetecia_ -me (apetecer) uma cerveja!
12. O João _gostava_ (gostar) de ir à festa no próximo sábado, mas provavelmente não pode.

19.3. Faça frases com os verbos no **imperfeito** (= condicional) e no **presente do indicativo**.

1. Não tenho tempo. Por isso não vou com vocês.
   Ia com vocês, mas não tenho tempo.
2. Tenho de estudar. Por isso não vou ao cinema.
   Ia ao cinema, mas tenho de estudar.
3. Estou a fazer dieta. Por isso não como o bolo.
   Comia o bolo, mas estou a fazer dieta.
4. Eles não podem sair. Por isso não vão à festa.
   Iam à festa, mas não podem sair.
5. Não tenho dinheiro. Por isso não faço a viagem.
   Fazia a viagem, mas não tenho dinheiro.
6. O café faz mal. Por isso não tomo um café.
   Tomava um café, mas me faz mal.

43

Unidade 20 tinha feito

(pretérito mais-que-perfeito composto do indicativo)

O comboio partiu.

Nós chegámos à estação.

O comboio já **tinha partido** quando nós chegámos à estação.

Pretérito mais-que-perfeito composto do indicativo
ter (imperfeito) + particípio passado

eu	**tinha**	
tu	**tinhas**	
você		**chegado**
ele	**tinha**	
ela		**estado**
nós	**tínhamos**	
vocês		**ido**
eles	**tinham**	
elas		

- Usamos o **pretérito mais-que-perfeito composto do indicativo** para falar de acções passadas que aconteceram antes de outras também passadas:

    — Ontem telefonei-te, mas tu já **tinhas saído**.

    — Quando eu cheguei à festa, o João já **tinha ido** para casa.

★ **Particípio passado regular:**

-ar	-er	-ir
falar	comer	partir
falado	**comido**	**partido**

★ **Particípio passado irregular:**

abrir	***aberto***	ganhar	***ganho***	pôr	***posto***
dizer	***dito***	gastar	***gasto***	ver	***visto***
escrever	***escrito***	limpar	***limpo***	vir	***vindo***
fazer	***feito***	pagar	***pago***		

Unidade 20   Exercícios

20.1. Complete com os verbos no **pretérito mais-que-perfeito composto**.

1. Não estavas em casa. (sair)
   Já _tinhas saído._
2. O bebé não estava com fome. (comer)
   Já _tinha comido._
3. Eles já não estavam em Portugal. (voltar para França)
   Já _tinham voltado para França._
4. A Ana estava no hospital. (ter um acidente)
   Tinha tido um acidente
5. Ele não estava cansado. (dormir 12 horas)
   Tinha dormido 12 horas.
6. Não fui à festa. (combinar ir ao concerto)
   Já _tinha combinado ir ao concerto._
7. O sr. Silva não sabia inglês. (aprender)
   Nunca _tinha aprendido._
8. Não fomos ao cinema. (ver o filme)
   Já _tínhamos visto o filme._
9. Ela estava muito nervosa. (andar de avião)
   Nunca _tinha ido de avião_
10. Já não havia barulho. (as crianças ir para a cama)
    Tinha posto as crianças ir para a cama.

20.2. Complete com os verbos no **pretérito mais-que-perfeito composto** e no **p.p.s.**.

1. Quando eu _cheguei_ (chegar) a casa, a minha mãe já _tinha saído_ (sair).
2. O filme já _tinha começado_ (começar) quando nós _entrámos_ (entrar) na sala.
3. Quando eu me _levantei_ (levantar), a empregada _tinha arrumado_ (arrumar) tudo.
4. Nós já _tínhamos acabado_ (acabar) de jantar quando tu _telefonaste_ (telefonar).
5. Quando nós _encontrámos_ (encontrar) o João, ele já _tinha falado_ (falar) com a Ana.

20.3. Complete com os verbos no **pretérito mais-que-perfeito composto** ou no **p.p.s.**.

1. Não tenho fome. Já _almocei_ (almoçar).
2. Ele não tinha fome. Já _tinha almoçado_ (almoçar).
3. Eles estavam muito cansados. Não _dormiram nada._ (dormir) nada.
4. Porque é que estás cansado? Não _dormiste_ _tinhas dormido_ (dormir)?
5. Peço desculpa pelo atraso, mas _tínhamos tido_ _tivemos_ (ter) um acidente com o carro.
6. Encontrei a Ana no hospital. Ela _tinha tido_ (ter) um acidente com o carro.
7. Estou muito nervoso. Nunca _tinha ido de avião_ (andar) de avião.
8. Ele estava muito nervoso. Nunca _tinha ido de avião_ (andar) de avião.

45

Unidade 21   tenho feito

(pretérito perfeito composto do indicativo)

2ª | 3ª/ 4ª/ 5ª/ 6ª

Ultimamente **tenho trabalhado** muito.

Desde que a escola abriu **têm tido** muitas inscrições.

Pretérito perfeito composto do indicativo
ter (presente) + particípio passado

eu	**tenho**	
tu	**tens**	
você		**falado**
ele	**tem**	
ela		**ido**
nós	**temos**	
vocês		**visto**
eles	**têm**	
elas		

- Usamos o **pretérito perfeito composto do indicativo** para falar de acções que começam no passado e se prolongam até ao momento presente.

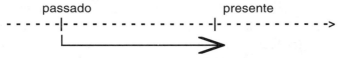

Desde que o bebé nasceu ela **tem dormido** mal.

— Este ano **têm estudado** mais do que no ano passado.

— A Ana não vem trabalhar. **Tem estado** doente.

— Este ano **tem chovido** pouco.

— **Tens falado** com o João?

— Não. Não o **tenho visto**.

— Nestes últimos tempos o número de turistas no nosso país **tem aumentado**.

★ **Colocação dos pronomes**

Quando o verbo principal está no **particípio passado**, o pronome coloca-se antes ou depois do auxiliar, consoante a regra (unidade 14).

    — Ultimamente eles têm-**se** encontrado muito.
    — Ultimamente eles não **se** têm encontrado.

Unidade 21   Exercícios

21.1. Complete com os verbos no **pretérito perfeito composto**.

1. — (Tu) _Tens visto_ (ver) a nova série da televisão?
   — Não. (Eu) _Tenho tido_ (ter) muito trabalho ultimamente.
2. Ele não _tem ido_ (ir) à escola. _Tem estado_ (estar) doente.
3. Estou mais gorda. _Tenho tido_ (ter) muito apetite.
4. Ultimamente nós não _temos ido_ (ir) ao cinema. Queres ir hoje?
5. Com o frio que _tem feito_ (fazer), eles não _têm saído_ (sair) de casa.

21.2. Faça frases com os verbos no **pretérito perfeito composto**.

1. (ela / faltar às aulas)
   Ela tem faltado às aulas.
2. (eu / não / falar com eles / ultimamente)
   Eu não tenho falado com eles ultimamente.
3. (vocês / encontrar / o João?)
   Vocês têm encontrado o João?
4. (ele / não / vir trabalhar)
   Ele não tem vindo trabalhar
5. (a tua equipa / ganhar muitos jogos?)
   A tua equipa têm ganhado muitos jogos?
6. (nós / perder / quase todos os jogos)
   Nós temos perdido quase todos os jogos
7. (o tempo / estar óptimo)
   O tempo tem estado óptimo
8. (eles / ir à praia / todos os dias)
   Eles têm ido à praia todos os dias.
9. (nestes últimos anos / eu / não / ter férias)
   Nestes últimos anos eu não tenho tido férias.
10. (o meu marido / trabalhar muito)
   O meu marido tem trabalhado muito.

21.3. Complete com o **pretérito perfeito composto** e o **p.p.s.**.

1. Desde que a escola _abriu_ (abrir), _têm tido_ (ter) muitas inscrições.
2. Ela não _tem descansado_ (descansar) nada desde que o bebé _nasceu_ (nascer).
3. Desde que eu _fui_ (ir) ao médico, _tenho estado_ (estar) melhor.
4. Desde que as férias _acabaram_ (acabar), eles _têm tido_ (ter) muito trabalho.
5. Eu não _tenho vido_ (ver) a Ana desde que ela _ficou_ (ficar) doente.
6. Desde que eles _compraram_ (comprar) a vivenda, _têm tado_ (dar) muitas festas.
7. Desde que o Verão _começou_ (começar), _tem faito_ (fazer) imenso calor.
8. Desde que eu _mudei_ (mudar) de casa, não _tenho encontrado_ (encontrar) os meus amigos.
9. Nós não _temos ido_ (ir) ao cinema desde que _casei-me_ (casar-se).
10. Ela _tem vido_ (vir) de metro desde que a nova estação _abriu_ (abrir).

Unidade 22

vou fazer, estou a fazer e acabei de fazer

Ela **vai fazer** o jantar.

Ela **está a fazer** o jantar.

Ela **acabou de fazer** o jantar.

Futuro próximo		
ir + infinitivo		

eu	vou	
tu	vais	
você		comer
ele	vai	
ela		estudar
nós	vamos	
vocês		partir
eles	vão	
elas		

Realização prolongada no presente			
estar a + infinitivo			

estou			
estás			falar
está	a		
			ler
estamos			
			ver
estão			

Passado recente			
acabar de + infinitivo			

acabei			
acabaste			
			chegar
acabou	de		
			sair
acabámos			
			vir
acabaram			

— Aonde vais?
— **Vou comprar** bilhetes para o cinema.

— O que é que a Ana **está a fazer**?
— **Está a pôr** a mesa.

— O Pedro já saiu?
— Já. **Acabou de sair**.

— Já são 9 horas e ainda não estás pronta.
— Pois não. **Vou chegar** atrasada.

— Ele está muito cansado. **Acabou de chegar** de viagem.

— Afinal não **vamos comprar** o carro.

— **Estás a fazer** muito barulho. Eles **estão a estudar**.

— **Vais convidar** o João para a festa?

— Eles **acabaram de entrar**. Ainda não despiram os casacos.

— Ontem ele foi visitar a igreja. Amanhã **vai visitar** o museu.

— Vou a pé para casa. O último autocarro **acabou de partir**.

Unidade 22   Exercícios

22.1. Faça frases com: **ir + infinitivo, estar a + infinitivo, acabar de + infinitivo.**

1. eu / ler o jornal

   Eu vou ler o jornal.

   Eu estou a ler o jornal.

   Eu acabei de ler o jornal.

2. ela / fazer os exercícios

   Ela vai fazer os exercícios

   Ela está a fazer os exercícios

   Ela acabou de fazer os exercícios.

3. o João / tomar duche

   O João vai tomar duche

   O João está a tomar ducha

   O João acabou de tomar duche.

4. Eu e a Ana / pôr a mesa

   Eu e a Ana vamos pôr a mesa

   Eu e a Ana estámos a pôr a mesa.

   Eu e a Ana acabámos de pôr a mesa.

5. eles / falar com o professor

   Eles vão falar com o professor

   Eles estão a falar com o professor.

   Eles acabaram de falar com o professor.

22.2. Faça perguntas e dê as respostas.

1. (vocês / fazer / logo à noite)
   (ver o filme da televisão)

   O que é que vocês vão fazer logo à noite?

   Vamos ver o filme da televisão.

2. (a Ana / fazer / depois das aulas)
   (jogar ténis)

   O que é que a Ana vai fazer depois das aulas?

   Vou jogar ténis.

3. (tu / fazer / logo à tarde)
   (estudar português)

   O que é que tu vais fazer logo à tarde?

   Vou estudar português.

4. (nós / fazer / amanhã de manhã)
   (fazer compras)

   O que é que nós vamos fazer amanhã de manhã?

   Vamos fazer compras.

5. (vocês / fazer / no próximo fim-de-semana)
   (passear até Sintra)

   O que é que vocês vão fazer no próximo fim-de-semana?

   Vamos passear até Sintra.

22.3. Responda às seguintes perguntas.

1. Quando é que voltaste? (chegar)

   Acabei de chegar.

2. Chegaram há muito tempo? (entrar)

   Acabámos de entrar.

3. O Pedro já acordou? (levantar-se)

   Acabou de levanta-se.

4. Ela já está pronta? (vestir-se)

   Acabou de vestir-se

5. Quando é que eles voltaram? (chegar)

   Acabaram de chegar.

Unidade 23

Futuro imperfeito do indicativo

(verbos regulares e irregulares)

Ele tem 18 anos. No próximo ano **terá** 19 anos.

Elas viajam muito. Amanhã às 10h **estarão** em Paris.

Regulares

eu	falar**ei**
tu	comer**ás**
você ele ela	partir**á**
nós	voltar**emos**
vocês eles elas	ficar**ão**

Irregulares

dizer	fazer	trazer
direi	**farei**	**trarei**
dirás	**farás**	**trarás**
dirá	**fará**	**tratá**
diremos	**faremos**	**traremos**
dirão	**farão**	**trarão**

— O Presidente **partirá** às 9h e **chegará** às 11h30 a Londres.

— Este ano no Verão fomos para Espanha. No próximo ano **iremos** para o Algarve.

— Ela diz que o médico **virá** por volta das 17h.

— **Terei** muito gosto na vossa visita.

— O João diz que **trará** presentes para todos.

— Ela tem medo de andar de avião. Diz que nunca **andará** de avião.

• Também usamos esta forma de **futuro** em frases **interrogativas** para exprimir **incerteza/desconhecimento** sobre situações presentes.

— Vamos hoje para o Porto. **Será** que está frio?

— Estão a tocar à campainha. Quem **será**?

— A Joana estuda muito, mas **passará** no exame?

— Ele não veio trabalhar. **Estará** doente?

Unidade 23 Exercícios

23.1. Complete com os seguintes verbos no **futuro**:

1. ir / eu _____	5. fazer / eu _____	9. vir / vocês _____	13. ouvir / elas _____
2. ter / tu _____	6. dizer / nós _____	10. sair / eu _____	14. ver / tu _____
3. viajar / você _____	7. trazer / ela _____	11. falar / tu e eu _____	15. pôr / você _____
4. partir / ele _____	8. ser / eles _____	12. comer / teu e ela _____	16. poder / eu _____

23.2. A Joana é hospedeira e viaja muito. Faça frases com os verbos no **futuro**.

1. (amanhã às 10h / partir para Madrid)
   Amanhã às 10h partirá para Madrid. _____

2. (ficar lá dois dias)
   _____

3. (no dia 18 / chegar a Paris)
   _____

4. (cinco dias depois / viajar para Viena)
   _____

5. (de Viena / ir para Roma)
   _____

6. (no dia seguinte / partir para Atenas)
   _____

23.3. Complete com os verbos no **futuro**.

1. Não fumo nem nunca *fumarei.* _____
2. Ele não é bom aluno nem nunca _____
3. Não falo com ela nem nunca _____
4. Não gosto de teatro nem nunca _____
5. Não faço isso nem nunca _____

23.4. Complete as frases com os verbos na forma correcta:

1. No ano passado nós *estivemos* (estar) na Grécia. Este ano *iremos* _____ (ir) para Espanha.
2. O Presidente _____ (começar) amanhã a sua viagem por Portugal. Primeiro _____ (visitar) o norte.
3. Depois, _____ (estar) na região centro durante uma semana.
4. Finalmente _____ (ir) para o sul, onde _____ (ficar) cerca de cinco dias.
5. O meu irmão _____ (ter) 4 anos. No próximo ano _____ (ter) 5 anos.

23.5. Complete as frases interrogativas com os verbos no futuro.

1. Hoje está muito frio. _____ (ser) que vai nevar?
2. O professor não vem às aulas. _____ (estar) doente?
3. O telefone está a tocar. _____ (ser) o Pedro?
4. Eles têm estudado muito, mas _____ (passar) no exame?
5. É meia-noite. O café ainda _____ (estar) aberto?

Unidade 24   Condicional presente

(verbos regulares e irregulares)

Esta casa é maravilhosa.
Não me **importaria** nada de viver aqui.

Ele abriu uma pequena loja em 1988.
Dois anos mais tarde **seria** dono de uma
grande cadeia de supermercados.

Regulares
falar

eu	falar**ia**
tu	falar**ias**
você ele ela	falar**ia**
nós	falar**íamos**
vocês eles elas	falar**iam**

Irregulares

	dizer	fazer	trazer
	diria	faria	traria
	dirias	farias	trarias
	diria	faria	traria
	diríamos	faríamos	traríamos
	diriam	fariam	trariam

- Usamos o **condicional** para:

  - falar de acções pouco prováveis de acontecerem porque a condição de que dependem não se realiza no presente; *

  - expressar desejos; *

  - formular pedidos (forma de cortesia); *

  - sugerir; *

  - indicar acções posteriores à época de que se fala (mais comum na linguagem escrita).

    — **Gostaria** de ir com vocês, mas infelizmente não posso.

    — **Daria** tudo para não ter exame amanhã.

    — **Poderia** dizer-me as horas, por favor?

    — **Deveríamos** convidar os pais, não achas?

    — Começou como ajudante e mais tarde **seria** promovido a chefe.

* **N.B.:** Nestes casos o **condicional** pode ser substituído pelo **pretérito imperfeito do indicativo**, forma mais coloquial.

Unidade 24   Exercícios

24.1. Complete com o verbo no **condicional**.

1. dar / nós _____
2. ser / tu _____
3. fazer / ele _____
4. poder / você _____

5. ir / eu _____
6. ler / você _____
7. trazer / tu _____
8. estar / ela _____

9. ver / eles _____
10. dizer / nós _____
11. vir / você _____
12. falar / eu _____

13. ter / tu e a Ana ____
14. pôr / ela _____
15. ouvir / vocês _____
16. chegar / eu e tu ___

24.2. Substitua os verbos no *imperfeito* pelo **condicional**.

1. Nós *íamos* ao cinema, mas infelizmente não temos tempo.
   Nós iríamos ao cinema, mas infelizmente não temos tempo. _____

2. *Dava* tudo para ter um autógrafo dela.
   _____

3. *Podia* dar-me uma informação?
   _____

4. Vocês *deviam* falar com o médico.
   _____

5. Eu *gostava* de trocar de carro.
   _____

6. De táxi *era* mais rápido.
   _____

7. Sem a ajuda dos amigos, a casa não *estava* pronta.
   _____

8. *Podíamos* ir a um restaurante chinês.
   _____

9. Ela *adorava* morar perto da praia.
   _____

10. Não *era* melhor comprar já os bilhetes?
    _____

11. Eu não me *importava* de fazer o trabalho, mas hoje não posso.
    _____

24.3. Complete com os verbos no **condicional**.

1. Fiz isso e *faria* _____ outra vez.
2. Fui a casa deles e _____ outra vez.
3. Paguei o jantar e _____ outra vez.
4. Gastei o dinheiro todo e _____ outra vez.
5. Falei com o chefe e _____ outra vez.
6. Fui empregada doméstica e _____ outra vez.
7. Já vi o filme e _____ outra vez.
8. Li o livro todo e _____ outra vez.
9. Disse mal deles e _____ outra vez.
10. Contei o segredo à Ana e _____ outra vez.

Unidade 25   o, a, os, as; um, uma, uns, umas

the *a* *any some*

(artigos definidos e indefinidos)

— **O** Pedro tem **uma** irmã.

— **A** irmã do Pedro chama-se Ana.

— **O** sr. Ramos comprou **um** carro novo.

— **O** carro do sr. Ramos tem ar condicionado.

— **Os** livros estão na estante.

— **As** colegas da Joana vão à festa.

— Encontrei **uns** óculos no café.

Artigos definidos		
	masculino	feminino
singular	*o*	*a*
plural	*os*	*as*

Artigos indefinidos		
	masculino	feminino
singular	*um*	*uma*
plural	*uns **	*umas **

• O **artigo definido** e **indefinido** precede o substantivo e concorda com ele em género e número.

    a canet**a**.................. **as** canet**as**

    o dicionári**o** .... **os** dicionári**os**

    um mês .... **uns** mes**es**

    uma hora .... **umas** hor**as**

• Não usamos o **artigo definido** antes de:

  • **meses**
    Estamos em Janeiro.

  • **datas**
    É dia 1 de Janeiro.

  • **vocativos**
    Olá Pedro!

  • **alguns nomes de países**:
    Portugal, Angola, Moçambique, Cabo verde, Marrocos, Israel, etc.

* No plural tem uso restrito.

Unidade 25   Exercícios

25.1. Complete com os **artigos definidos**.

1. _o_ lápis
2. _as_ canetas
3. _a_ borracha
4. _os_ livros
5. _a_ pasta
6. _as_ cadeiras
7. _a_ mesa
8. _o_ quadro
9. _as_ janelas
10. _a_ porta

11. _o_ homem
12. _a_ mulher
13. _o_ senhor
14. _a_ senhora
15. _o_ rapaz
16. _a_ rapariga
17. _o_ menino
18. _a_ menina
19. _o_ amigo
20. _a_ amiga

21. _o_ pai
22. _a_ mãe
23. _o_ filho
24. _a_ filha
25. _o_ irmão
26. _a_ irmã
27. _o_ tio
28. _a_ tia
29. _o_ avô
30. _a_ avó

31. _as_ calças
32. _o_ casaco
33. _a_ saia
34. _o_ vestido
35. _a_ camisa
36. _os_ sapatos
37. _a_ blusa
38. _o_ lenço
39. _a_ gravata
40. _o_ cinto
41. O problema

25.2. Complete com os **artigos indefinidos**.

1. _uma_ árvore
2. _uma_ rua
3. _um_ carro

4. _uma_ casa
5. _um_ apartamento
6. _uma_ vivenda

7. _um_ país
8. _uma_ cidade
9. _uma_ vila

10. _uma_ viagem
11. _um_ passeio
12. _umas_ férias
13. um problema

25.3. Complete com os **artigos definidos** ou **indefinidos**.

1. Lisboa é _uma_ cidade bonita.
2. Lisboa é _a_ capital de Portugal.
3. Tenho _uma_ avó com 90 anos.
4. _A_ universidade da Ana é privada.
5. Podes desligar _o_ rádio? Está muito barulho.
6. Podia dar-me _uma_ informação, por favor?
7. Qual é _o_ nome do professor?
8. _O_ Pedro e _a_ Ana são amigos.
9. Escrevi _uma_ carta ao Pedro, mas ele não recebeu _a_ carta.
10. Portugal é _um_ país da Comunidade Europeia.
11. Comprei _umas_ calças e _uns_ sapatos em saldo.
12. _As_ férias grandes estão a chegar.
13. Hoje vamos a _um_ restaurante chinês.
14. Eles têm dois filhos: _um_ rapaz e _uma_ rapariga.
15. _O_ rapaz chama-se Miguel e _a_ rapariga chama-se Margarida.
16. Queria _um_ café, por favor.

Unidade 26

isto, isso, aquilo *(demonstrativos invariáveis)*
aqui, aí, ali *(advérbios de lugar)*

• *Isto*, *isso*, *aquilo* são **demonstrativos invariáveis** e usam-se para pedir a identificação de objectos ou para identificar objectos.

Isto	é	um livro
		uma caneta
	são	livros
		canetas

— O que é **isto**?
— **Isso** é um livro.

Isso	é	um livro
		uma caneta
	são	livros
		canetas

— O que é **isso**?
— **Isto** é uma caneta.

Aquilo	é	um livro
		uma caneta
	são	livros
		canetas

— O que é **aquilo**?
— **Aquilo** é um carro.

• **Isto** está perto da pessoa que fala (**eu**).
• **Isso** está perto da pessoa com quem se fala (**tu**).
• **Aquilo** está afastado do **eu** e do **tu.**

• **Aqui**, **aí**, **ali** são **advérbios** que indicam o **lugar** e podem ser usados com os demonstrativos.

  • **Aqui** indica que o objecto está perto da pessoa que fala (**eu**).
  • **Aí** indica que o objecto está perto da pessoa com quem se fala (**tu**).
  • **Ali** indica que o objecto está afastado do **eu** e do **tu**.

Unidade 26 Exercícios

26.1. Complete com **isto**, **isso**, **aquilo**.

1. _Isto_ aqui é um livro.
2. _Isso_ aí é uma cadeira.
3. _Aquilo_ ali é uma porta.
4. _Isso_ aí são canetas.
5. _Aquilo_ ali é o quadro.
6. _Isto_ aqui é o dicionário de português.

7. _Isto_ aqui é uma pasta.
8. _Aquilo_ ali é a escola.
9. _Isto_ aqui são lápis.
10. _Isso_ aí é uma borracha.
11. _Isto_ aqui são livros.
12. _Isso_ aí é uma janela.

26.2. Complete as respostas com **isto**, **isso**, **aquilo**.

1. — O que é **isto**?
   — _Isso aí_ é um lápis.
2. — O que é **aquilo**?
   — _Aquilo_ são dicionários.
3. — O que é **isso**, Ana?
   — _Isto_ são os livros de português.
4. — O que é **aquilo** ali?
   — _Aquilo_ são cassetes.
5. — O que é **isto**?
   — _Isso_ é uma borracha.
6. — O que é **aquilo**?
   — _Aquilo_ é a porta.

7. — O que é **isso** aí?
   — _Isto_ é uma cadeira.
8. — O que é **aquilo** ali?
   — _Aquilo_ é a escola.
9. — O que é **isto** aqui?
   — _Isso_ são óculos.
10. — O que é **isso**?
    — _Isto_ são canetas.
11. — O que é **isto**?
    — _Isso_ é o quadro da sala.

26.3. Complete as respostas. Use **isto**, **isso**, **aquilo**, o *presente do indicativo* do verbo **ser** e os **artigos definidos** e **indefinidos**.

1. — O que é isto? (livro)
   — _Isso é um livro._
2. — O que é aquilo? (escola de português)
   — _Aquilo é a escola de português._
3. — O que é isto? (quadro da sala)
   — _Isso é o quadro da sala._
4. — O que é isso? (borracha)
   — _Isto é uma borracha._
5. — O que é isto? (canetas)
   — _Isso são canetas._

6. — O que é isto? (livros)
   — _Isso são livros._
7. — O que é isso? (janela)
   — _Isto é uma janela._
8. — O que é isto? (dicionário)
   — _Isso é um dicionário._
9. — O que é aquilo? (pasta do professor)
   — _Aquilo é a pasta do professor_
10. — O que é isso? (caneta)
    — _Isto é uma caneta._

57

Unidade 27

este, esse, aquele, etc.

(demonstrativos variáveis)

Demonstrativos variáveis

singular		plural	
masculino	feminino	masculino	feminino
este livro	**esta** caneta	**estes** livros	**estas** canetas
esse livro	**essa** caneta	**esses** livros	**essas** canetas
aquele livro	**aquela** caneta	**aqueles** livros	**aquelas** canetas

- **Este**, **esse**, **aquele**, etc. usam-se com os substantivos ou substituem os substantivos a que se referem.
- **Este**, **esse**, **aquele**, etc. concordam em género e número com os substantivos a que se referem.
- **Este** (+substantivo) indica que o objecto está perto da pessoa que fala (**eu**).
- **Esse** (+substantivo) indica que o objecto está perto da pessoa com quem se fala (**tu**).
- **Aquele** (+substantivo) indica que o objecto está afastado do **eu** e do **tu**.

    — **Este** hotel é caro. **Aquele** é mais barato e também é bom.

    — Quem é **aquela** rapariga?

    — Desculpe, **esta** é a Av. da República?

    — **Essa** caneta não escreve. Usa **esta**.

    — **Esses** sapatos são novos?
    — Não. Já comprei **estes** sapatos no mês passado.

    — **Este** quadro é bonito, não achas Ana?
    — **Aquele** ali é mais bonito.

Unidade 27   Exercícios

27.1. Complete com **este**, **esta**, **estes** ou **estas**.

1. *estas* pessoas
2. Este rapaz
3. Este carro
4. Esta casa
5. Estas árvores
6. Estes óculos
7. Esta sala
8. Este quadro
9. Estes livros
10. Esta mulher
11. Este professor
12. Estas raparigas

27.2. Complete com **esse**, **essa**, **esses** ou **essas**.

1. *esse* dicionário
2. essas canetas
3. esse café
4. esses bolos
5. esse homem
6. essas calças
7. Essa escola
8. Essas cadeiras
9. Esse apartamento
10. Essas flores
11. Essa rua
12. Esse jardim

27.3. Complete com **aquele**, **aquela**, **aqueles** ou **aquelas**.

1. *aquelas* crianças
2. Aquela bicicleta
3. Aquele táxi
4. Aqueles alunos
5. Aquelas borrachas
6. Aquele filme
7. Aquela caneta
8. Aqueles pássaros
9. Aquele lugar
10. Aquele país
11. Aquelas cidades
12. Aquela viagem

27.4. Complete com **este**, **esse**, **aquele**, etc.

1. — O que é isto? (bolo / de chocolate)
   — Isso é um bolo. *Esse bolo é de chocolate.*
2. — O que é aquilo? (flores / artificiais)
   — Aquilo são flores. Aquelas flores são artificiais.
3. — O que é isso? (presente / para o professor)
   — Isto é um presente. Este presente é para o professor.
4. — O que é isto? (óculos / da Ana)
   — Isso são óculos. Esses óculos são da Ana.
5. — O que é aquilo? (supermercado / novo)
   — Aquilo é um supermercado. Aquele é um supermercado novo.

27.5. Complete com **este(s)**, **esta(s)**; **esse(s)**, **essa(s)**.

1. *Essa* caneta não escreve. Usa *esta.*
2. Esse dicionário não é bom. Toma este.
3. Esses óculos são muito escuros. Põe estes.
4. Essa camisola é pouco quente. Veste esta.
5. Esse telefone não funciona. Usa este.
6. Essa raqueta não é boa. Joga com esta.
7. Esse bolo não está bom. Prova este.
8. Essas batatas estão frias. Come estas.
9. Esse vestido não é bonito. Compra este.
10. Essa cerveja não está fresca. Bebe esta.

59

Unidade 28 meu, teu, seu, etc. *(possessivos)*

| eu - - - -> | **meu(s)** |
| | **minha(s)** |

Eu tenho um irmão e uma irmã.
O meu irmão chama-se João.
A minha irmã chama-se Ana.
Os meus irmãos estão na escola.

| tu - - - -> | **teu(s)** |
| | **tua(s)** |

Tu tens um amigo francês e duas amigas inglesas.
O teu amigo está em Portugal.
As tuas amigas estão em Portugal.

| você - -> | **seu(s)** |
| | **sua(s)** |

O sr. Marques foi buscar o carro à garagem.
— **O seu** carro já está pronto. Tem aqui **as suas** chaves, sr. Marques.

| nós - -> | **nosso(s)** |
| | **nossa(s)** |

Nós andamos na escola.
A nossa escola é moderna.
Os nossos professores são muito simpáticos.

| vocês - -> | **vosso(s)** |
| | **vossa(s)** |

O João está a falar com o Pedro e com a Ana.
— Encontrei **os vossos** pais no cinema.

— De quem é esta caneta?
— É **tua**. **A minha** caneta está na mala.

— De quem são estes livros?
— São **meus**. **Os teus** estão na sala.

— Este jornal é **seu**, sr. Marques?
— É **meu**, mas pode ler.

— Aquele é **o vosso** carro?
— Não. **O nosso** está na garagem.

| O Paulo (**dele**) | |

A bicicleta **dele** (do Paulo)

O relógio **dele** (do Paulo)

As calças **dele** (do Paulo)

Os óculos **dele** (do Paulo)

| O sr. e a sra. Oliveira (**deles**) | |

O carro **deles** (do sr. e da sra. Oliveira)

A casa **deles** (do sr. e da sra. Oliveira)

Os filhos **deles** (do sr. e da sra. Oliveira)

As malas **deles** (do sr. e da sra. Oliveira)

| A Joana (**dela**) | |

Os pais **dela** (da Joana)

As canetas **dela** (da Joana)

O vestido **dela** (da Joana)

A avó **dela** (da Joana)

| A Joana e a Ana (**delas**) |  |

A escola **delas** (da Joana e da Ana)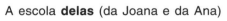

O dicionário **delas** (da Joana e da Ana)

Os namorados **delas** (da Joana e da Ana)

As casas **delas** (da Joana e da Ana)

Unidade 28   Exercícios

28.1. Responda às seguintes perguntas:

1. — De quem é esta bola? (eu)
   — *É minha.*

2. — De quem são estes óculos? (ele)
   — *São dele.*

3. — De quem é aquele dicionário? (vocês)
   — *É rosso*.

4. — De quem são estas flores? (eu)
   — *São minhas.*

5. — De quem é esse lápis? (tu)
   — *É teu.*

6. — De quem são estas revistas? (ela e ele)
   — *São deles.*

7. — De quem são essas malas? (nós)
   — *São nossas.*

8. — De quem é este bolo? (ela)
   — *É dela.*

9. — De quem são aquelas canetas? (tu e você)
   — *São vossas.*

10. — De quem é esta chave? (ele)
    — *É dele.*

11. — De quem é este café? (você)
    — *É seu.*

12. — De quem são estes chocolates? (eu e tu)
    — *São nossos.*

28.2. Complete as seguintes frases:

1. Vi a sra. Marques com o marido *dela.*
2. Vi o sr. Marques com a mulher *dele.*
3. Vi a Ana com o namorado *dela*.
4. Vi o João e o Miguel com os pais *deles*.
5. Vi o Pedro com os filhos *dele*.
6. Vi a Joana e a Paula com os amigos *delas.*

28.3. Use os **possessivos**.

1. Nós temos um apartamento.
   É o nosso apartamento.

2. Ele comprou uma máquina fotográfica.
   É a máquina fotográfica dele.

3. Você tem um carro.
   É *o seu carro.*

4. Eu ando numa escola.
   É *a minha escola.*

5. Eu e tu dormimos no mesmo quarto.
   É *o nosso quarto.*

6. Ela comprou uma mala.
   É *a mala dela*

7. Tu e o Pedro têm muitos amigos.
   São *os vossos amigos*.

8. A Ana e a Paula já têm namorados.
   São *os namorados delas.*

9. Você tem muitas canetas.
   São *as suas canetas*.

10. O sr. Marques está no escritório.
    É *o escritório dele*.

11. Vocês têm muitos livros.
    São *os vossos livros.*

12. Eu e o meu irmão ainda temos avós.
    São *os nossos avós.*

13. Tu tens uma casa nova.
    É *a tua casa nova.*

14. Eles têm dois filhos.
    São *os filhos deles.*

15. Tu e a tua irmã têm um dicionário.
    É *o vosso dicionário.*

16. Nós temos uma filha.
    É *a nossa filha.*

61

Unidade 29

Discurso directo e indirecto

O João disse que estava doente e que não ia à escola.

Eles disseram que já tinham visto o filme.

Ele disse que teria muito gosto em trabalhar com eles.

		Discurso directo	Discurso indirecto
Tempos verbais		Presente	Imperfeito
		Pretérito perfeito simples	Pretérito mais-que-perfeito composto
		Pretérito perfeito composto	
		Futuro imperfeito	Condicional presente
Advérbios	lugar	aqui	ali
		cá	lá
	tempo	ontem	no dia anterior
		hoje	nesse dia/naquele dia
		amanhã	no dia seguinte
		na próxima semana	na semana seguinte
Pessoais Possessivos		1.ª e 2.ª pessoa	3.ª pessoa
Demonstrativos		este/esse — isto / isso	aquele — aquilo

No fim-de-semana passado a Ana encontrou o João numa festa.

Verbos introdutórios para o discurso indirecto:

dizer / contar / perguntar / responder / querer saber

O João perguntou à Ana se ela **tomava** uma bebida.

O João disse à Ana que a festa **estava** muito animada.

O João perguntou à Ana se ela **queria** dançar.

O João perguntou à Ana se **tinha visto** o Pedro.

O João contou à Ana que *na semana seguinte* **ia** de férias para o Algarve.

O João perguntou à Ana como **iam** as aulas *dela*.

O João disse à Ana que **tinha entrado** para a universidade e que **gostava** muito do curso *dele*.

Unidade 29   Exercícios

29.1. Ontem à tarde você encontrou a Paula, uma amiga sua, que lhe contou muitas coisas.

1. Estou a viver em casa dos meus pais.
2. No próximo mês vou mudar para um apartamento novo.
3. Vou casar-me na próxima semana.
4. Não tenho tempo para preparar nada.
5. Tirei uns dias de férias para tratar de tudo o que é necessário.
6. Queres vir jantar a minha casa?
7. O meu futuro marido também irá ao jantar.
8. Ele trabalha com computadores.
9. Já fizemos os planos para a lua-de-mel.
10. Vamos fazer um cruzeiro pelo Mediterrâneo.
11. Partiremos logo a seguir ao casamento.
12. Claro que estás convidada para a festa!

À noite, você está a conversar com outra amiga e conta-lhe tudo o que a Paula disse.

1. A Paula disse-me que *estava a viver em casa dos pais dela.*

2. Ela disse que _____

3. Ela disse que _____

4. Ela queixou-se que _____

5. Ela contou-me que _____

6. Ela perguntou-me se _____

7. Ela disse-me que _____

8. Ela contou-me que _____

9. Ela disse-me que _____

10. Ela disse-me que _____

11. Ela contou-me que _____

12. Ela disse-me que _____

29.2. Imagine que um amigo seu lhe diz uma coisa e que depois diz exactamente o contrário.

Use verbos de opinião como: | **pensar que** | **julgar que** |

1. — Este restaurante é caro.

   — *Pensei que tinhas dito que não era caro.*

2. — Não vou ao cinema.

   — *Julguei que* _____

3. — O filme foi bom.

   — _____

4. — A Ana gosta do João.

   — _____

5. — Eles vão casar-se.

   — _____

6. — Nunca tomo café.

   — _____

7. — Não quero falar com eles.

   — _____

8. — Não posso ir à festa.

   — _____

9. — Hoje à noite fico em casa.

   — _____

10. — Chumbei no exame.

    — _____

11. — O empregado é simpático.

    — _____

12. — Paguei o almoço.

    — _____

13. — Gastei o dinheiro todo.

    — _____

Unidade 30 Infinitivo pessoal

Ele comprou um livro **para** o filho **ler**.

Infinitivo pessoal

eu	chegar
tu	falar**es**
você ele ela	ler
nós	ir**mos**
vocês eles elas	ser**em**

- Forma-se o **infinitivo pessoal** a partir do infinitivo de qualquer verbo mais as terminações **-es** (2ª pessoa do singular), **-mos** (1ª pessoa do plural) e **-em** (3ª pessoa do plural).

- Usamos estas formas depois de:

  - *expressões impessoais*

    É melhor vocês **levarem** os casacos.
    É preciso ires ao supermercado.
    É agradável estarmos na esplanada.

  - *preposições*

    Ao ouvir as notícias, o Pedro ficou preocupado. (= Quando o Pedro ouviu as notícias, ...)
    Comprei bilhetes **para irmos** ao cinema.
    Não te convidei, João, **por estares** doente.
    Não saiam de casa **sem** eu **chegar**.
    Eu espero **até** vocês **acabarem** o trabalho.

  - *locuções prepositivas*

    Li o livro **antes de ver** o filme.
    Apesar de serem muito ricos, não gostam de gastar dinheiro.
    No caso de querer mais informações, sr. Marques, telefone-me.
    Depois de estudares tudo, podes sair.

Unidade 30   Exercícios

30.1. Complete com os verbos no **infinitivo pessoal**.

1. Fomos visitar a Ana por ela _estar_ (estar) doente.
2. Depois de _pensarmos_ (pensar), decidimos não fechar o negócio.
3. Quero acabar o bolo antes de _chegarem_ (chegar) os convidados.
4. Depois de vocês _partirem_ (partir), arrumo a casa.
5. Apesar de _estarem_ (estar) com sono, não conseguiram dormir.
6. Não é muito provável eles _aceitarem_ (aceitar) o trabalho.
7. Até nós _encontrarmos_ (encontrar) o dinheiro, ninguém sai da sala.
8. É perigoso _tomarem_ (tomar) banho neste rio, meninos.
9. Fui de táxi para não _chegar_ (chegar) tarde.
10. O Pedro e a Ana estão a aprender inglês para _irem_ (ir) para os Estados Unidos.
11. Sem _saberem_ (saber) línguas, não podem concorrer ao lugar.
12. Esperem aqui até eu _voltar_ (voltar).
13. Depois de _comeres_ (comer), sentes-te melhor.
14. Sem _provares_ (provar) o bolo, não podes dizer se é bom ou mau.
15. A Joana ficou muito contente ao _receber_ (receber) o presente.

30.2. Ligue as frases com as palavras entre parênteses. Faça as alterações necessárias.

1. Ele vai ao cinema. Primeiro acaba o trabalho. (depois de)
   Ele vai ao cinema depois de acabar o trabalho.
2. Não posso ir. Telefono-lhe. (no caso de)
   No caso de não poder ir, telefono-lhe.
3. Não me sinto bem, mas vou trabalhar. (apesar de)
   Apesar de não me sentir bem, vou trabalhar.
4. Vais às compras. Depois vens logo para casa. (depois de)
   Depois de ires às compras, vens logo para casa.
5. Primeiro têm de lavar as mãos. Depois comem o bolo. (antes de)
   Antes de comerem o bolo, têm de lavar as mãos.
6. Acabas o trabalho. Depois fechas a luz. (depois de)
   Depois de acabares o trabalho, fechas a luz.
7. Ele tem um bom emprego, mas não está satisfeito. (apesar de)
   Apesar de ter um bom emprego, não está satisfeito.
8. Vocês vêem o filme. Primeiro deviam ler o livro. (antes de)
   Antes de vocês vêem o filme, deviam ler o livro.
9. Não temos aulas. Vamos ao museu. (no caso de)
   No caso de não termos aulas, vamos ao museu.
10. Eles saem. Eu arrumo a casa. (depois de)
    Depois de eles saírem, arrumo a casa.

30.3. Complete as frases com as preposições listadas e com os verbos no **infinitivo pessoal**.

ao	até	para	por	sem

1. _Ao entrarem_ (entrar) em casa, viram que estava tudo desarrumado.
2. Não falem com o professor _até_ eu _chegar_ (chegar).
3. Comprei bilhetes _para_ nós _irmos_ (ir) ao concerto.
4. Ela não foi trabalhar _por_ _estar_ (estar) doente.
5. _Sem_ vocês _verem_ (ver) o filme, não podem fazer críticas.
6. As crianças ficaram contentíssimas _ao_ _abrirem_ (abrir) os presentes.

Unidade 31 — Imperativo (*verbos regulares e irregulares*)

Imperativo (afirmativo) regulares

Presente do Indicativo		*-ar* falar
ele **fala**	→	*Fala* baixo! (informal/singular)
eu **falø**	→	**Fale** baixo! (formal/singular)
		Falem baixo! (informal e formal plural)

Presente do Indicativo		*-er / -ir* comer / abrir
ele **come** ele **abre**	→ →	*Come* a sopa! *Abre* a janela! (informal/singular)
eu **comø** eu **abrø**	→ →	**Coma** a sopa! **Abra** a janela! (formal/singular)
		Comam a sopa! **Abram** a janela! (informal e formal plural)

Imperativo (negativo) regulares

-ar / falar		*er / -ir* comer / abrir
Não **fales** alto! (informal / singular)	= formal singular + s =	Não **comas** doces! Não **abras** a janela! (informal / singular)
Não **fale** alto! (formal / singular)		Não **coma** doces! Não **abra** a janela! (formal / singular)
Não **falem** alto! (informal e formal plural)		Não **comam** doces! Não **abram** a janela! (informal e formal plural)

• No **imperativo negativo** só é **diferente** a forma usada para o tratamento **informal no singular (tu)**. Todas as outras - tratamento formal no singular (você) e tratamento informal e formal no plural (vocês; os senhores; as senhoras) são iguais na afirmativa ou negativa.

Imperativo / irregulares

	Singular			Plural
	informal		formal	informal e formal
	afirmativo	negativo	afirmativo e negativo	afirmativo e negativo
ser	**sê**	não **sejas**	(não) **seja**	(não) **sejam**
estar	está	não **estejas**	(não) **esteja**	(não) **estejam**
dar	dá	não **dês**	(não) **dê**	(não) **dêem**
ir	vai	não **vás**	(não) **vá**	(não) **vão**

• Usamos as formas do **imperativo** para:

dar ordens	→	— **Feche** a porta, por favor.
dar conselhos	→	— **Não fumes** tanto.
dar sugestões	→	— **Vão** de táxi. É mais rápido.

Unidade 31   Exercícios

31.1. Complete com as formas correctas dos verbos no **imperativo**.

vestir
1. (tu) *Veste*   o casaco.
2. (você) *Vista*   a camisola.
3. (vocês) *Vistam*   os casacos.

ler
4. (tu) _Lê_ o jornal.
5. (você) ~~Lê~~ Leia o livro.
6. (vocês) _Leiam_ as instruções.

pôr
7. (tu) _Põe_ a mesa.
8. (você) ~~Põe~~ ponha a camisola.
9. (vocês) _ponham_ as camisolas.

fazer
10. (tu) _Faz_ o trabalho.
11. (você) ~~faz~~ faça o almoço.
12. (vocês) _façam_ os exercícios.

trazer
13. (tu) _Traz_ o livro.
14. (você) _traga_ o dicionário.
15. (vocês) _tragam_ os documentos.

despir
16. (tu) _despe_ a camisola.
17. (você) _dispa_ a gabardina.
18. (vocês) _dispam_ os casacos.

ir
19. (tu) _Vai_ ao supermercado.
20. (você) _Vá_ aos correios.
21. (vocês) _Vão_ falar com o professor.

vir
22. (tu) _Venha_ a minha casa.
23. (você) _Venha_ a Lisboa.
24. (vocês) _Venham_ cá a casa.

31.2. O Miguel tem 5 anos e faz muitos disparates. A mãe está a dar-lhe algumas ordens:

1. Miguel, não *dispas* (despir) a camisola. Está muito frio.
2. Não _fales_ (falar) alto. Os teus irmãos estão a estudar.
3. Não _comas_ (comer) tantos chocolates!
4. Não _tires_ (tirar) os sapatos.
5. Não _sujes_ (sujar) o chão.
6. Não _partas_ (partir) o copo.
7. Não _escrevas_ (escrever) na parede.
8. Não _digas_ (dizer) asneiras.
9. Não _faças_ (fazer) barulho.
10. Não _entornes_ (entornar) o leite.
11. Não _dês_ (dar) pontapés à tua irmã.

31.3. Complete as frases com os verbos no **imperativo**.

1. — Está muito calor aqui. (tu/abrir a janela)
   — *Abre a janela.*
2. — Onde ficam os Correios, por favor?
   (o senhor/virar à esquerda)
   — _Vire à esquerda_
3. — Estou com fome. (tu/comer uma sandes)
   — _Come uma sandes._
4. — Precisas de ajuda? (tu/pôr a mesa)
   — _Põe a mesa_ , por favor.
5. — Tenho frio. (você/vestir o casaco)
   — _Vista o casaco._
6. — Temos sede. (vocês/beber um sumo)
   — _Bebam um sumo._
7. — Não compreendo este texto.
   (tu/ver as palavras no dicionário)
   — _Vê as palavras no dicionário_
8. — Como é que o vídeo funciona?
   (você/ler as instruções)
   — _Leia as instruções._

Unidade 32　Comparativos

O Paulo é **tão** alto **como** o João.
O Pedro é **mais** alto **do que** os amigos.
O Paulo e o João são **menos** altos **do que** o Pedro.

Normal	COMPARATIVO		
	Superioridade	**Igualdade**	**Inferioridade (*)**
alto	***mais* alto do que**	*tão* alto **como**	***menos* alto do que**
longe	***mais* longe do que**	*tão* longe **como**	***menos* longe do que**
bom / bem	***melhor* do que**	*tão* bom **como** *tão* bem **como**	***menos* bom do que** ***menos* bem do que**
grande	***maior* do que**	*tão* grande **como**	***menos* grande do que**
mau / mal	***pior* do que**	*tão* mau **como** *tão* mal **como**	***menos* mau do que** ***menos* mal do que**

*** *É pouco usado.**

— Ontem o tempo estava **mau**. Hoje ainda está **pior**.

— Levanto-me sempre **cedo**, mas anteontem ainda me levantei **mais *cedo* do que** habitualmente.

— Sentes-te **bem**?
— Hoje sinto-me **melhor**.

— Eles têm muitos filhos. Vão comprar um carro **maior**.

— O Inverno em Portugal é **menos *frio* do que** na Alemanha.

— A minha mala está **mais *pesada* do que** a tua.

— Estes sapatos são **mais *caros* do que** aqueles.

— Neste prédio os andares do lado direito são **maiores do que** os do lado esquerdo.

— O concurso foi **tão *bom* como** o da semana passada.

— O concerto não foi **tão *bom* como** diziam.

— A vida no campo não é **tão *agitada* como** na cidade.

— Ele está **tão *alto* como** o pai.

Unidade 32   Exercícios

32.1. Complete as frases com os **adjectivos/advérbios** na forma correcta.

1. Se eu tenho 20 anos e tu tens 21, então tu és *mais velho do que eu.* (velho).
2. Se a igreja foi construída em 1570 e o museu em 1870, então a igreja é _mais antiga_ (antigo).
3. Se as minhas calças custaram 10.000$00 e as tuas 15.000$00, então as tuas foram _mais caras_ (caro).
4. Se hoje estão 7 graus e ontem estiveram 10, então hoje está _mais frio_ (frio).
5. Se o Pedro nasceu em 1965 e o irmão nasceu em 1960, então o Pedro é _mais novo_ (novo).
6. Se este jardim tem 100 m^2 e aquele tem 150 m^2, então aquele é _maior_ (grande).
7. Se de metro demoro 10 minutos até à escola e de autocarro demoro 30 minutos, então o metro é _mais rápido_ (rápido).
8. Se aqueles sapatos custam 12.000$00 e estes custam 9.000$00, então estes sapatos são _mais baratos_ (barato).
9. Se a Ana tem 1,65m e a Joana tem 1,70m, então a Ana é _mais baixa_ (baixo).
10. Se eu me levanto às 7 horas e tu te levantas às 8 horas, então eu levanto-me _mais cedo_ (cedo).

32.2. Complete as frases com os **adjectivos/advérbios** contrários na forma correcta.

1. Este restaurante é muito caro. Vamos a outro *mais barato.*
2. Estes sapatos estão muito pequenos. Não tem outros _maiores_ ?
3. Este texto é muito difícil. Não há outro _mais fácil_ ?
4. Ontem senti-me mal. Hoje já estou _melhor_ .
5. O supermercado fica muito longe. Não há uma mercearia _mais perto_ ?
6. O exame de matemática não me correu bem. O exame de física ainda foi _pior_ .
7. Esta régua é muito curta. Preciso de uma _mais comprida_ .
8. Esta caixa é muito pesada para ti. Leva aquela que é _mais leve_ .
9. No ano passado a Ana estava muito gorda. Agora está _mais magra._ .
10. Ele é muito baixo para jogar basquetebol. Precisamos de um jogador _mais alto._ .

32.3. Complete as frases com os **adjectivos/advérbios** na forma correcta.

1. O teu irmão não é muito alto. Tu és *mais alto.*
2. A casa deles não é muito grande. Eles querem comprar uma casa _maior._ .
3. Este vinho não sabe muito bem. Aquele é _melhor._ .
4. Ao fim-de-semana não se levantam muito cedo. Durante a semana levantam-se _mais cedo._ .
5. O inglês dele é mau. O da Ana é _pior._ .
6. Este empregado não é muito simpático. Aquele é _mais simpático._ .

32.4. Complete as frases com *tão ... como*.

1. A igreja é mais antiga do que o museu. *O museu não é tão antigo como a igreja.*
2. Espanha é maior do que Portugal. Portugal _não é tão grande como a Espanha_
3. Ele joga melhor do que o João. O João _não é tão bom como ele._
4. O leite está mais quente do que o café. O café _não está tão quente como o leite._
5. Ele come mais depressa do que a irmã. A irmã _não come tão depressa como ele._
6. A Ana é mais alta do que o Rui. O Rui _não é tão alto como a Ana._

Unidade 33   Superlativos

ELES SÃO TODOS MUITO ALTOS. DE FACTO, ELES SÃO ALTÍSSIMOS. MAS O PEDRO É O MAIS ALTO DE TODOS.

Normal	SUPERLATIVO relativo	
	superioridade	**inferioridade** *
baixo	**o mais** baixo	**o menos** baixo
cedo	**o mais** cedo	**o menos** cedo
bom	**o melhor**	**o menos** bom
grande	**o maior**	**o menos** grande
mau	**o pior**	**o menos** mau

* É muito pouco usado.

Superlativo absoluto analítico
muito baixo
muito cedo
muito bom / bem
muito grande
muito mau / mal

Normal	Superlativo absoluto sintético
baixø	**baixíssimo**
cedø	**cedíssimo**
fácil	**facílimo**
difícil	**dificílimo**
bom	**óptimo**
grande	**enorme**
mau	**pior**

— Lisboa é **a maior** cidade de Portugal.

— O filme foi péssimo. Foi mesmo **o pior** filme que eu vi.

— Ele joga bem futebol, mas não é **o melhor** jogador da equipa.

— Chegaste **tardíssimo**. O filme já começou.

— Dentro da cidade, o metro é **o** meio de transporte **mais rápido**.

— A Ana e a Joana são **as melhores** alunas da turma.

— O Pedro, o Paulo e o Miguel são todos **muito altos**. **O mais alto** é o Pedro que tem 1,90m e **o menos alto** é o Miguel que tem 1,87m.

Unidade 33　　Exercícios

33.1. Complete as frases com os **adjectivos/advérbios** na forma correcta.

1. Eu estou muito cheio. De facto, estou *cheiíssimo.*
2. Ainda é muito cedo. De facto, é _cedíssimo._
3. Ele está muito gordo. De facto, é _gordíssimo_
4. Esta bebida é muito forte. De facto, é _fortíssima_
5. Eles estão muito atrasados. De facto, estão _atrasadíssimos._
6. A tua mala está muito pesada. De facto, está _pesadíssima._
7. Este bife está muito duro. De facto, está _duríssimo._
8. A sopa está muito quente. De facto, está _quentíssima_
9. O exame foi muito difícil. De facto, foi _dificílimo._
10. O bolo de chocolate está muito bom. De facto, está _ótimo._
11. O acidente foi muito grave. De facto, foi _gravíssimo._
12. Estes sapatos foram muito caros. De facto, foram _caríssimos._

33.2. Complete com os **adjectivos** na forma correcta.

1. O Miguel é mais velho do que o Paulo e a Ana. *É o mais velho dos irmãos.*
2. Este ano as férias foram melhores do que no ano passado. Foram _as melhores_ de sempre.
3. Esta igreja é muito antiga. É _a mais antiga_ do país.
4. Esta sala é muito grande. É _a maior_ de todas.
5. O jogo de domingo foi péssimo. Foi _o pior_ de todos.
6. Ela é muito bonita. É _a mais bonita_ das irmãs.
7. Ele é mais alto do que os colegas. É _o mais alto._ da turma.
8. Estas uvas são muito doces. São _as mais doces_ de todas.
9. Este romance é muito interessante. É _o mais interessante_ deste escritor.
10. Ele é um cantor muito popular. É _o mais popular_ de todos.

33.3. Complete as frases.

1. Este é *o restaurante mais caro* de Lisboa. (restaurante / caro)
2. Esse foi *o melhor filme* do ano. (bom / filme)
3. Ele é _o homem mais rico_ do país. (homem / rico)
4. Hoje foi _o dia mais feliz_ da minha vida. (dia / feliz)
5. Ela é _a rapariga mais bonita_ que eu conheci. (rapariga / bonito)
6. O Tejo é _o maior rio_ de Portugal. (grande / rio)
7. A Ana e o Pedro são _os melhores alunos_ da turma. (bom / alunos)
8. Ele é _o político mais popular_ da actualidade. (político / popular)
9. Este foi _o pior discurso_ que eu ouvi. (mau / discurso)
10. Ela foi _a actriz mais famosa_ dos anos 50. (actriz / famoso)

Unidade 34 — tão e tanto

tão + adjectivo (invariável)	Ela é **tão bonita!** Que rapariga **tão bonita!**

tão + advérbio (invariável)	Falas **tão depressa!** Não compreendo nada. A praia é **tão longe!** É melhor irmos de carro.

verbo + tanto (invariável)	Ele **come tanto!** Por isso está tão gordo.

tanto(s) (variável) **+ substantivo** **tanta(s)**	Gastei **tanto dinheiro** nas compras! Não comas **tantos chocolates!** **Tanta gente** na rua! Nunca vi **tantas pessoas** num concerto!

tão ... que	Falas **tão** <u>depressa</u> **que** eu não compreendo. Ele estava **tão** <u>cansado</u> **que** foi logo dormir.

tanto que **tanto(s) ... que** **tanta(s) ... que**	Ele <u>estudou</u> **tanto que** ficou com dores de cabeça. Tive **tanto** <u>trabalho</u> **que** não pude sair com vocês. Ele tinha **tantas** <u>dores</u> de cabeça **que** foi tomar um comprimido.

Unidade 34   Exercícios

34.1. Complete as frases exclamativas com **tão** ou **tanto**.

1. Está *tanto* calor!
2. O bebé tem uns olhos *tão* azuis!
3. Que festa *tão* animada!
4. *Tantos* carros!
5. Não bebas *tanta* cerveja!
6. Que vestido *tão* bonito!

7. A sopa está *tão* quente!
8. Há *tantas* pessoas na paragem!
9. Não fales *tão* depressa!
10. Ele ganha *tanto* dinheiro!
11. A casa deles fica *tão* longe!
12. Não comas *tanto*!

34.2. Faça frases exclamativas com **tão**.

1. Estas flores são muito bonitas.
   Que flores tão bonitas!
2. Aquele cão é muito mau.
   Que cão *tão mau*!
3. O empregado foi muito antipático.
   Que *empregado tão antipático!*
4. O bolo estava muito bom.
   Que bolo tão bom!

5. O jantar foi muito caro.
   Que jantar tão caro!
6. A festa foi muito divertida.
   que festa tão divertida!
7. Os teus amigos foram muito simpáticos.
   Que amigos tão simpáticos!
8. Este sofá é muito confortável.
   Que sofá tão confortável!

34.3. Complete com **tão** ou **tanto(s)**, **tanta(s)**.

1. Estou *tão* atrasada. Vou apanhar um táxi.
2. Ultimamente tem havido *tanto* trabalho no escritório.
3. Ele sente-se *tão* cansado.
4. A mãe dela está *tão* doente e tudo lhe faz *tanta* confusão.
5. Tive *tanta* sorte em encontrar os documentos.
6. Não precisas de trabalhar *tantas* horas.

34.4. Ligue as frases com **tão ... que** ou **tanto ... que**.

1. Hoje andei muito. Doem-me os pés.
   Hoje andei tanto que me doem os pés.
2. Estou com muitas dores. Vou tomar um comprimido.
   Estou com tantas dores que vou tomar um comprimido.
3. O professor fala muito depressa. Não compreendo nada.
   O professor fala tão depressa que não compreendo nada
4. O dia ontem esteve muito quente. Fomos até à praia.
   O dia ontem esteve tão quente que fomos até à praia.
5. A Ana estudou muito. Ficou com dores de cabeça.
   A Ana estudou tanto que ficou com dores de cabeça.
6. Fizeste muito barulho. Acordaste o bebé.
   Fizeste tanto barulho que acordaste o bebé.
7. Ele comeu muito. Não consegue levantar-se.
   Ele comeu tanto que não consegue levantar-se.
8. Ela sentiu-se muito mal. O marido chamou o médico.
   Ela sentiu-se tão mal que o marido chamou o médico.

Unidade 35

comigo, contigo, etc.; para mim, para ti, etc.

(preposições + pronomes pessoais)

preposição + pronomes pessoais			
com + pronome		outras preposições + pronome	
eu	*comigo*		*mim*
tu	*contigo*	de	*ti*
você	*consigo*	a	*si*
ele	com ele	sem	ele
ela	com ela	até	ela
nós	*connosco*	por	nós
vocês	com vocês / *convosco* *	para	vocês
eles	com eles	...	eles
elas	com elas		elas

* A forma **convosco** (= com os senhores / as senhoras) é formal.

— Vais **comigo** à festa?
— Sim, vou **contigo**.

— Espere por **mim**. Desço **consigo** no elevador.

— Meus senhores, posso contar **convosco** para a inauguração?
— Claro. Conte **connosco**.

— Trouxe esta prenda para **ti**.
— Para **mim**? Muito obrigado.

— Estivemos a falar de **si** esta manhã, D. Fátima.

— Tens visto a Joana?
— Falei com **ela** na semana passada.

— Eles moram perto de **nós**.

Unidade 35   Exercícios

35.1. Complete com a forma correcta do **pronome**.

Isto é para
- _____. (eu)
- _____. (tu)
- _____. (você)
- _____. (eu + tu)
- _____. (tu + você)
- _____. (ele + ela)

35.2. Complete com a forma correcta do **pronome** contraído ou não com a preposição **com**.

O João quer falar
- _____. (eu)
- _____. (tu)
- _____. (você)
- _____. (Ana)
- _____. (eu + o Pedro)
- _____. (ele + ela)

35.3. Complete com o **pronome** contraído ou não com a preposição **com**.

1. — Também vens _connosco?_ (nós)
   — Vou. Vou _com vocês_. (vocês)
2. — O chefe quer falar _____ (você), Sr. Rocha.
   — Vou já falar _____ (ele).
3. Hoje não vou sair _____ (eles). Podem contar _____ (eu) para o jantar.
4. Meus senhores, precisava de conversar _____ (os senhores).
5. Ninguém falou _____ (eu) sobre esse assunto.
6. — Quem é que vai _____ (vocês) no carro?
   — A Ana vai _____ (nós) e o João tem de ir _____ (tu).
7. Ontem à noite sonhei _____ (tu).
8. Ficámos _____ (ele) até à meia-noite.
9. — Posso contar _____ (você) para a inauguração?
   — Claro. Conte _____ (eu).
10. Gostaria de encontrar-me _____ (o senhor e a senhora) para discutir a vossa proposta.

35.4. Complete com a forma correcta do **pronome**.

1. — Esperem por _mim_____. Estou quase pronto.
   — Só esperamos por _ti_____ mais cinco minutos, João.
2. Não posso começar a reunião sem _____. Por isso não te atrases.
3. — Trouxe estas flores para _____, D. Margarida.
   — Para _____?! Muito obrigada.
4. Estiveram a falar sobre _____ e a minha situação na companhia.
5. Chegou esta encomenda para _____, sr. Oliveira.
6. Moras perto de _____. Agora somos vizinhos.
7. Ultimamente tenho pensado em _____ e no que me disseste.
8. Lembra-se de _____? Andámos juntos na escola.
9. Ele conheceu a Rita e apaixonou-se logo por _____.
10. Mentiste-me. Já não acredito em _____.

Unidade 36

me, **te**, **o**, **a**, etc.

(pronomes pessoais complemento directo)

— A Ana vai à festa?
— Vai. Eu convidei-*a*.

— Podes levar as revistas. Já *as* li.

— Não consigo levantar o caixote. Ajudas-*me*?
— Ajudo-*te* já. É só um minuto.

— Encontraste o Pedro?
— Não. Já não *o* encontrei.

— Onde é que tens os bilhetes? Perdeste-*os*?
— Não Guardei-*os* na mala.

— Podes levar-*nos* a casa?
— Está bem. Eu levo-*vos*.

	Complemento directo
eu	*me*
tu	*te*
você ele, ela	*o*, *a*
nós	*nos*
vocês	*vos*
eles, elas	*os*, *as*

Formas verbais terminadas em:	Complemento directo 3ª pessoa as formas -*lo*, -*la*, -*los*, *las*
-r̸ -s̸ -z̸	-lo -la -los -las

☞ Excepções
Ele quer *os chocolates*. Ele quer*e-os*
Tu te*ns a minha caneta*. Tu te*m-la*.

Vou convida*r* os meus amigos. Vou convidá-*los*.
Vou ve*r* esse filme. Vou vê-*lo*.
Paga*s* a conta? Paga-*la*.?
Bebe*s* o leite todo. Bebe-*lo* todo.
Ele fa*z* os exercícios em casa. Ele fá-*los* em casa.
Tra*z* a tua irmã à festa. Trá-*la* à festa.

Formas verbais terminadas em:	Complemento directo 3ª pessoa as formas -*no*, *na*, *nos*, *nas*
-*ão* -*õe* -*m*	-no -na -nos -nas

Eles d*ão* o dinheiro ao empregado.
Eles dão-*no* ao empregado.

Ela p*õe* a mesa. Ela põe-*na*.

Coma*m* os bolos. Comam-*nos*.

76

Unidade 36   Exercícios

36.1. Complete com as formas correctas dos **pronomes**.

1. Eu conheço a Ana e a Ana conhece-*me*.
2. Tu conheces a Ana e a Ana conhece-*te*.
3. Ela conhece a Ana e a Ana conhece-*a*.
4. Ele conhece a Ana e a Ana conhece-*o*.
5. Nós conhecemos a Ana e a Ana conhece-*nos*.
6. Vocês conhecem a Ana e a Ana conhece-*vos*.
7. Eles conhecem a Ana e a Ana conhece-*os*.
8. Elas conhecem a Ana e Ana conhece-*as*.

36.2. Substitua o **complemento directo** pelo **pronome correspondente**, e faça as alterações necessárias.

1. Fomos buscar *os nossos amigos* à estação.
   Fomos buscá-los à estação.
2. Tens visto *a Inês*?
   Tem-la visto?
3. Não comam *o bolo* todo.
   Não o comam.
4. Podes guardar *a revista*. Já li *a revista*.
   Podes guardá-la. Já a li.
5. Puseram *os casacos* e saíram.
   Puseram-nos e saíram.
6. Vês *o filme* connosco?
   Vê-lo connosco?
7. Fechem *a porta* à chave.
   Fechem-na à chave.
8. Ajuda-me a levantar *o caixote*.
   Ajuda-me a levantá-lo.
9. Façam bem *as camas*.
   Façam-nas bem.
10. Põe *os livros* na pasta.
    Põe-nos na pasta.

11. Também convidámos *os professores*.
    Também os convidámos.
12. Levem *o João e a Ana* no carro.
    Levem-nos no carro.
13. Encontraste *o meu irmão*?
    Encontraste-o?
14. Deixei *a carteira e os documentos* na escola.
    Deixei-os na escola.
15. Faz *os exercícios* em casa.
    Fá-los em casa.
16. Gostei de ouvir *o Primeiro Ministro*.
    Gostei de ouvi-lo.
17. Aqueçam *o leite*.
    Aqueçam-no.
18. Tenho de ler *os relatórios*.
    Tenho de lê-los.
19. Tem *as fotografias* consigo?
    Tem-nas consigo?
20. Dão *a prenda* à Ana?
    Dão-na à Ana?

36.3. Complete com a forma correcta do **pronome**.

1. Ajudas-*me* a fazer o exercício? Sozinho não consigo.
2. Nós também vamos à festa. O Paulo convidou-*nos*.
3. Se não tens boleia, levo-*te* a casa.
4. Ele não falou com vocês?! Então é porque não *vos* conhece.
5. Quando estive no hospital, eles foram lá ver-*me*.
6. Já assinei o contrato. Assinei-*o* hoje de manhã.
7. Li a poesia, mas achei-*a* difícil.
8. Queria umas bananas, mas não *as* quero muito maduras.
9. Vocês não me viram, mas eu vi-*vos* à porta do cinema.
10. Não encontro os meus óculos. Não sei onde *os* pus.

Unidade 37

me, te, lhe, etc.;

(pronomes pessoais complemento indirecto)

mo(s), ma(s), etc.

(pronomes pessoais complemento indirecto+compl. directo)

	Complemento indirecto
eu	*me*
tu	*te*
você	
ele, ela	*lhe*
nós	*nos*
vocês	*vos*
eles, elas	*lhes*

— Os meus amigos mandaram-***me*** um postal.

— Eu escrevi-***lhes*** uma carta.

— Apetece-***te*** alguma coisa?
— Apetece-***me*** um gelado.

— O que é que ***nos*** perguntaste?
— Perguntei-***vos*** se vocês estão em casa hoje à noite.

— Ofereci-***lhe*** um ramo de flores e ela gostou muito.

— Posso fazer-***lhe*** uma pergunta, Sr. Ramos?

— O João não foi à festa, porque não ***lhe*** disseram nada.

Contracções
C. indirecto + C. directo

me + o = mo
me + a = ma
me + os = mos
me + as = mas

Dá-me esse livro. Dá-***mo***.
Dá-me essa borracha. Dá-***ma***.
Dá-me esses óculos. Dá-***mos***.
Dá-me essas canetas. Dá-***mas***.

te + o = to
te + a = ta
te + os = tos
te + as = tas

Já te emprestei o caderno. Emprestei-***to*** ontem.
Já te emprestei a cassete. Emprestei-***ta*** ontem.
Já te emprestei os livros. Emprestei-***tos*** ontem.
Já te emprestei as revistas. Emprestei-***tas*** ontem.

lhe + o = lho
lhe + a = lha
lhe + os = lhos
lhe + as = lhas

Mandei-lhe o dinheiro. Mandei-***lho*** ontem.
Mandei-lhe a encomenda. Mandei-***lha*** ontem.
Mandei-lhe os catálogos. Mandei-***lhos*** ontem.
Mandei-lhe as informações. Mandei-***lhas*** ontem.

Unidade 37   Exercícios

37.1. Complete com as formas correctas dos **pronomes**.

1. (**Eu** preciso do dicionário). Podes emprestar-*me*_____ o dicionário?
2. (**Tu** precisas de 1.000$00). Vou emprestar-_te_____ 1.000$00.
3. (**Você** quer informações). Vou enviar-_lhe_____ informações.
4. (**O Rui** quer a bicicleta). Podes emprestar-_lhe_____ a bicicleta?
5. (**A Joana** precisa duma camisola). Vou comprar-_lhe_____ uma camisola.
6. (**Nós** recebemos a carta). Ela escreveu-_nos_____ uma carta.
7. (**Vocês** querem ver a casa). Vou mostrar-_vos_____ a casa.
8. (**Eles** querem conhecer a Ana). Vou apresentar-_lhes_____ a Ana.
9. (**A Ana e o Pedro** precisam do carro). Vou emprestar-_lhes_____ o carro.
10. (**Elas** gostaram do bolo). Vou servir-_lhes_____ mais bolo.

37.2. Complete com as **formas contraídas** dos **pronomes**.

1. Esse livro é meu. Dá-*mo*._____
2. Esses lápis são meus. Dá-_mos_____.
3. Aqueles óculos são dele. Dá-_lhos_____.
4. Essas canetas são dela. Dá-_lhas_____.
5. Essas chaves são minhas. Dá-_mas_____.
6. Aquela carteira é dela. Dá-_lha_____.
7. Aquele caderno é dela. Dá-_lho_____.
8. Essa mala é minha. Dá-_ma_____.

37.3. Substitua o **complemento directo** e **o indirecto** pelo pronome correspondente. Depois faça a contracção.

1. O Pedro emprestou **as cassetes à Ana**.
   O Pedro emprestou-as à Ana.
   O Pedro emprestou-lhe as cassetes.
   O Pedro emprestou-lhas.

2. Vou mostrar **o quarto a ti**.
   Vou mostrá-lo a ti
   Vou mostrar-te o quarto.
   Vou mostrar-to.

3. Ele ofereceu **os bilhetes a mim**.
   Ele ofereceu-os a mim.
   Ele ofereceu-me os bilhetes.
   Ele ofereceu-mos.

4. Já dei **as informações ao Sr. Oliveira**.
   Já as dei ao Sr. Oliveira.
   Já lhe dei as informações.
   Já lhas dei.

5. Eles contaram **a história ao João**.
   Eles contaram-na ao João
   Eles contaram-lhe a história.
   Eles contaram-lha.

6. Mandei a **encomenda à D. Maria**.
   Mandei-a à D. Maria.
   Mandei-lhe a encomenda.
   Mandei-lha.

7. Demos **a prenda ao professor**.
   Demo-la ao professor.
   Demos-lhe a prenda.
   Demos-lha.

8. Entregaste **os livros ao aluno**?
   Entregaste-os ao aluno?
   Entregaste-lhe os livros?
   Entregaste-lhos?

9. Já pagaste **a renda ao senhorio**?
   Já a pagaste ao senhorio?
   Já lhe pagaste a renda?
   Já lha pagaste?

10. Mostrámos **o apartamento à Ana**.
    Mostrámo-lo à Ana.
    Mostrámos-lhe o apartamento.
    Mostrámos-lho.

11. Emprestei **o dicionário ao teu irmão**.
    Emprestei-o ao teu irmão.
    Emprestei-lhe o dicionário.
    Emprestei-lho.

12. Só contei **a conversa a ti**.
    Só a contei a ti
    Só te contei a conversa.
    Só ta contei.

Unidade 38 voz passiva (ser + particípio passado)

| **activa** | Camões escreveu *"Os Lusíadas"*. | **passiva** | *"Os Lusíadas"* foram escritos por Camões. |

- As duas frases têm o mesmo significado, mas **na voz activa**

> Camões escreveu "Os Lusíadas".   o sujeito - **Camões** - pratica a acção;

na voz passiva

> "Os Lusíadas" foram escritos por Camões.   o sujeito - *"Os Lusíadas"* - sofre a acção do agente da passiva *Camões*.

- Na voz passiva usamos:
  - o **complemento directo da activa** que passa a **sujeito na passiva**.
  - verbo auxiliar **ser** no mesmo tempo do verbo principal da voz activa seguido do **particípio passado** do verbo principal:

> **ser + particípio passado**

- o particípio passado do verbo principal que concorda em género e número com o novo sujeito da passiva:

> **por + agente**

- o agente da passiva precedido pela preposição **por** ou as suas combinações:

> | por + o = pelo | por + a = pela |
> | por + os = pelos | por + as = pelas |

Presente
activa: A empregada *limpa* **as salas** todos os dias.
passiva: As salas *são limpas* todos os dias pela empregada.
> **activa:** O mecânico *está a arranjar* **o carro**.
> **passiva: O carro** *está a ser arranjado* pelo mecânico.

Passado
activa: A Ana *comprou* **essas flores**.
passiva: Essas flores *foram compradas* pela Ana.
> **activa:** O Sr. Ramos *alugava* **a casa** no Verão.
> **passiva: A casa** *era alugada* no Verão pelo Sr. Ramos.
> > **activa:** O Sr. Ramos *tinha alugado* **o apartamento**.
> > **passiva: O apartamento** *tinha sido alugado* pelo Sr. Ramos.

Futuro
activa: A Câmara *vai construir* **mais prédios**.
passiva: Mais prédios *vão ser construídos* pela Câmara.
> **activa:** A televisão independente *gravará* **o espectáculo**.
> **passiva: O espectáculo** *será gravado* pela televisão independente.

Omissão do agente da passiva
- Quando na activa o sujeito é indeterminado e não está expresso, omite-se o agente da passiva.

activa: *Assaltaram* **o banco** ontem à noite.
passiva: O banco *foi assaltado* ontem à noite.

activa: *Vão construir* **novas estradas**.
passiva: Novas estradas *vão ser construídas*.

Unidade 38   Exercícios

38.1. Faça frases na **passiva**.

1. O jornalista Rui Silva escreveu o artigo.
   O artigo foi escrito pelo jornalista Rui Silva.
2. O Presidente vai inaugurar a exposição.
   A exposição _vai ser inaugurada pelo Presidente._
3. A Companhia oferece o almoço.
   O almoço foi oferecido pela companhia.
4. O canal 6 transmitirá o jogo para toda a Europa.
   O jogo vai ser transmitido no canal seis para toda a Europa.
5. A empregada já tinha limpo os quartos.
   Os quartos já tinham sido limpos pela empregada.
6. O clima da região atrai muitos turistas.

7. O barulho acordou as crianças.

8. Essa empresa tem contratado muitos jovens.

9. A nossa equipa ganhou o 1º prémio.

10. As crianças da primária fizeram os desenhos.

38.2. Ponha as frases na **passiva**.

1. Chamaram a ambulância imediatamente.
   A ambulância foi chamada imediatamente.
2. Viram o criminoso perto da fronteira.
   O criminoso
3. Assaltaram o banco na noite passada.

4. Aumentaram os impostos.

5. Vão construir mais escolas.

6. Vão abrir o hotel no próximo Verão.

38.3. Complete com o verbo na **passiva**.

1. Onde está a minha bicicleta? (roubar)
   Foi roubada?!
2. O que é que aconteceu à ponte? (destruir)
   _____?!
3. Onde está o meu carro? (rebocar)
   _____?!
4. Porque é que há tantos polícias no banco? (assaltar)
   _____?!
5. Onde estão os documentos? (roubar)
   _____?!
6. O que é que aconteceu àquela senhora? (atacar)
   _____?!

38.4. Responda com uma frase na **passiva**.

1.— Foste tu que **pagaste** o jantar?
   — Sim, sim. *O jantar foi pago por mim.*
2.— Foi a Ana que **ganhou** o jogo?
   — Sim, sim. *O jogo* _____ .
3.— Foi o Pedro que **encontrou** os documentos?
   — Sim, sim. _____ .
4.— Foi a agência que **ofereceu** a viagem?
   — Sim, sim. _____ .
5. — Foram vocês que **encomendaram** as flores?
   — Sim, sim. _____ .
6. — Foi ele que **fez** os exercícios?
   — Sim, sim. _____ .
7. — Foram eles que **escreveram** o artigo?
   — Sim, sim. _____ .
8. — Fui eu que **parti** o vidro?
   — Sim, sim. _____ .

Unidade 39 voz passiva (estar + particípio passado);
particípios duplos

antes		agora	antes		agora
Os sapatos **estavam sujos**.	Ele limpou os sapatos.	Os sapatos **estão limpos**.	A janela **estava fechada**.	Ela abriu a janela.	A janela **está aberta**.

Passiva
resultado da acção
estar + particípio passado

	Resultado
Já fizeram os exercícios. = Os exercícios já foram feitos.	Os exercícios **estão feitos**.
O João pagou o almoço. = O almoço foi pago pelo João.	O almoço **está pago**.
Já marcaram a reunião. = A reunião já foi marcada.	A reunião **está marcada**.
Assinaram ontem o contrato. = O contrato foi assinado ontem.	O contrato **está assinado**.

Particípios duplos

	regular (auxiliar *ter*)	**irregular** (auxiliares *ser* e *estar*)
aceitar	**aceitado**	**aceite**
acender	**acendido**	**aceso**
entregar	**entregado**	**entregue**
matar	**matado**	**morto**
prender	**prendido**	**preso**
romper	**rompido**	**roto**
salvar	**salvado**	**salvo**
secar	**secado**	**seco**

- Nos verbos com **particípios duplos** usamos o **particípio regular** com o auxiliar *ter* (tempos compostos); o **particípio irregular** é usado com os auxiliares *ser* e *estar* (voz passiva).

- O **particípio regular** é **invariável**; o **particípio irregular** concorda em **género** e **número** com **o sujeito**.

Os bombeiros *tinham salvado* as crianças.
=
As crianças *tinham sido salvas* pelos bombeiros.
Resultado
As crianças *estavam salvas*.

Quando cheguei a casa
{
alguém já *tinha acendido* as luzes.
=
as luzes já *tinham sido acesas*.
Resultado
as luzes já *estavam acesas*.
}

A polícia *tem prendido* vários membros da quadrilha.
=
Vários membros da quadrilha *têm sido presos*
Resultado
Vários membros da quadrilha *estão presos*.

Unidade 39   Exercícios

39.1. Complete as frases com **estar + part. passado**, expressando o resultado da acção.

1. Já foi tudo combinado. Portanto, _está tudo combinado._
2. A janela foi fechada. Portanto, _a janela_ _____.
3. Os sapatos foram limpos. Portanto, _____.
4. Os alunos foram informados. Portanto, _____.
5. O quarto já foi arrumado. Portanto, _____.
6. O contrato foi assinado. Portanto, _____.
7. A encomenda foi entregue. Portanto, _____.
8. A resposta foi dada. Portanto, _____.
9. O carro foi arranjado. Portanto, _____.
10. As contas já foram feitas. Portanto, _____.

39.2. Faça frases com **estar + part. passado**.

1. Já paguei a conta. _A conta está paga._
2. A empregada fez as camas. _As camas_ _____.
3. Alguém acendeu as luzes. _____.
4. O professor já corrigiu os testes. _____.
5. A Ana pôs a mesa. _____.
6. Ele abriu a porta. _____.
7. Já informei as pessoas. _____.
8. Ela rompeu o vestido. _____.
9. Ele entregou os documentos. _____.
10. Já sequei o cabelo. _____.

39.3. Transforme as frases destacadas em frases passivas com o auxiliar **estar + part. passado**.

1. Quando me sentei, vi que **tinha rompido a saia**.
   Quando me sentei, vi que _a saia estava rota._ _____
2. **A minha camisola de lã já foi lavada?** Preciso dela.
   A minha camisola de lã já está lavada? Preciso dela.
3. A máquina de lavar loiça não funcionava. **Já foi arranjada?**
   A máquina de lavar loiça não funcionava. _____?
4. **O dentista arranjou**-lhe **os dentes.** Agora já não lhe doem.
   _____. Agora já não lhe doem.
5. Podem sair depois de **fazerem os exercícios**.
   Podem sair depois de _____.
6. A polícia anunciou que **tinham matado o chefe da quadrilha**.
   A polícia anunciou que _____.
7. **Já pus a mesa**. Venham jantar, meninos.
   _____. Venham jantar, meninos.
8. Quando os bombeiros chegaram ao local do incêndio, **todas as pessoas já tinham sido salvas**.
   Quando os bombeiros chegaram ao local do incêndio, _____.

Unidade 40   Vendem-*se* apartamentos

(palavra apassivante *se*)

- Usamos a palavra apassivante *se*:

  - quando o sujeito da activa é completamente **desconhecido**, **indeterminado** ou **irrelevante** para a informação contida na frase;

  - a partícula *se* coloca-se antes ou depois do verbo consoante a regra de colocação dos pronomes; (ver **Unidade 14**)

  - o verbo - sempre na forma activa - concorda com o sujeito da frase, isto é, conjuga-se na 3ª pessoa singular se o sujeito é singular ou na 3ª pessoa plural se o sujeito é plural.

Em Portugal as pessoas vêem muito televisão.
Em Portugal ***vê-se*** muito ***televisão***.

Marcaram a reunião para amanhã às 9h.
Marcou-se ***a reunião*** para amanhã às 9h.

Nessa loja aceitam cartões de crédito.
Aceitam-se ***cartões*** de crédito.

Os gritos foram ouvidos na rua.
Ouviram-se ***os gritos*** na rua.

Foram feitos três testes durante o ano.
Fizeram-se ***três testes*** durante o ano.

Unidade 40   Exercícios

40.1. Faça frases com a palavra apassivante *se*.

1. alugar / quartos
   Alugam-se quartos.
2. precisar de / motorista
   precisa-se de motorista.
3. vender / apartamentos
   Vendem-se apartamentos.
4. comprar / roupas usadas
   Compram-se roupas usadas
5. falar / francês
   fala-se francês

6. dar / explicações
   dão-se explicações.
7. alugar / sala para congressos
   Aluga-se uma sala para ""
8. servir / pequenos-almoços
   servem-se pequenos-almoço
9. admitir / cozinheiras
   admitem-se cozinheiras.
10. aceitar / cheques
    aceitam-se cheques.

40.2. Transforme as frases na activa em frases com a palavra apassivante *se*.

1. Em Portugal as pessoas vêem muito televisão.
   Em Portugal vê-se muito televisão.
2. No Norte as pessoas bebem muito vinho.
   No Norte bebe-se muito vinho
3. No Natal as pessoas comem bacalhau à consoada.
   No Natal come-se bacalhau à consoada.

4. Com o calor as pessoas trabalham menos.
   Com o calor trabalha-se menos.
5. Em Junho as pessoas festejam os Santos Populares.
   Em Junho festejam-se os Santos ""
6. Para atravessar o rio as pessoas apanham o barco.
   Para atravessar o rio apanha-se o barco.

40.3. Transforme as frases na activa em frases passivas com a palavra apassivante *se*.

1. Inauguraram ontem a ponte.
   Inaugurou-se ontem a ponte.
2. Alugaram duas camionetas para o passeio.
   Alugaram-se duas camionetas.
3. Antigamente compravam mais livros.
   Antigamente compravam-se mais livros.

4. Ultimamente têm construído muitas escolas.
   " " têm-se contruído " "
5. Já marcaram a viagem.
   Já se marcou a viagem.
6. Fizeram obras no museu.
   Fizeram-se obras no museu

40.4. Transforme as frases na passiva (ser + part. passado) em frases com a palavra apassivante *se*.

1. A alface é lavada e temperada em seguida.
   Lava-se a alface e tempera-se em seguida.
2. As batatas são cozidas e depois descascadas.
   Cozem-se as batatas e depois descascam-se.
3. Os ovos são batidos com o açúcar.
   Batem-se os ovos com o açúcar.
4. A carne é picada e depois misturada com o molho.
   Pica-se a carne e depois mistura-se com o molho.
5. O peixe é arranjado e passado por farinha.
   Arranja-se e passa-se por farinha.
6. O queijo é cortado e posto no pão.
   Corta-se o queijo e põe-se no pão.

Unidade 41

a, de, em, para, por
(preposições de movimento)

- **a**
  - **ir / vir / voltar a** ... (curta permanência)
    Ontem **fui ao** cinema.
    É meio-dia. Eles **vão a** casa almoçar.
    Ele **vai à** escola todos os dias.
    Vou aos Correios comprar selos.
  - **a pé / à boleia**
    Gosto muito de andar **a pé**.
    Foram **à boleia** para a praia.

- **para**
  - **ir / vir / voltar para** ... (longa permanência)
    Eles **vão** viver **para** o Canadá.
    Ela **vai** estudar **para** Inglaterra.
    Volta para Portugal dois anos depois.
    São 6 horas da tarde. **Vou para** casa.
  - **direcção / destino** ──────▶●
    Esta camioneta **vai para** Lisboa.
    O comboio **para** Braga parte às 20 horas.
    Vou para a escola.

- **por**
  - **através de** ──●──▶
    Eles foram **pela** ponte.
    O senhor vai **por** esta rua, **pelo** passeio do lado direito.
    Andámos a passear **pelo** parque.
    Mandei a carta **por** avião.
  - **perto de**
    Esse autocarro passa **pelo** hospital.
    A estrada nova passa **por** minha casa.

- **de - sair / vir / voltar**, etc...
  - **origem ou proveniência**
    Saí de casa às 8 horas.
    Voltaram da festa cansadíssimos.
    O meu marido **vem** hoje **do** Porto.
  - **meios de transporte**
    Para a Baixa vou **de metropolitano**.
    De táxi é mais rápido.
    Eles vão **de autocarro** para o trabalho.
    Gosto muito de viajar **de avião**.

- **em + artigo**
  - **meios de transporte** (determinado)
    O Sr. Oliveira vai **no comboio das 7h30**.
    Prefiro voltar **no avião da TAP**.
    Querem ir **no meu carro**?
    Posso andar **na tua bicicleta**?

Combinações
prep. + art.

a+a=à	a+as=às
a+o=ao	a+os=aos

Combinações
prep. + art.

por+a=pela	por+as=pelas
por+o=pelo	por+os=pelos

Combinações
prep. + art.

de+a=da	de+as=das
de+o=do	de+os=dos

Combinações
prep. + art.

em+a=na	em+as=nas
em+o=no	em+os=nos

Unidade 41   **Exercícios**

41.1. Complete com **a** (contraído ou não com o artigo) ou **para**.

1. Vou ___a___ casa buscar o casaco e já volto.
2. Quem é que vai ___ao___ supermercado?
3. Eles vão viver ___para___ o Algarve.
4. Já não há pão. É preciso ir ___a___ padaria.
5. Depois das aulas vou ___para___ casa.
6. Vamos ___ao___ cinema?
7. O John volta ___para___ Inglaterra no próximo mês.
8. Prefiro ir ___a___ pé ___para___ a praia.
9. A minha mãe foi ___ao___ Porto visitar uns amigos.
10. O Pedro vai trabalhar ___para___ os Estados Unidos.

41.2. Complete com **para** ou **por** (contraído ou não com o artigo).

1. A camioneta ___para___ Faro vai ___pela___ autoestrada.
2. Eles vieram ___pela___ ponte, porque é mais rápido.
3. Esse autocarro passa ___pela___ minha escola.
4. Andaram ___pelo___ museu a ver tudo.
5. Ela vai estudar ___para___ França e volta ___para___ Portugal dois anos depois.
6. — Como é que se vai ___para___ o Instituto Português?
   — Vai ___por___ esta rua, ___pelo___ passeio do lado esquerdo e vê logo o Instituto.
7. Quando vou ___para___ casa, vou sempre ___pela___ Av. da República.
8. Os carros passam ___pelo___ túnel.
9. Eles já foram ___para___ o aeroporto, mas antes passavam ___pelo___ hotel.
10. Todos os anos vamos de férias ___para___ o Algarve.

41.3. Complete com **de** (contraído ou não com o artigo) ou **em** (contraído com o artigo).

1. Fomos ___de___ avião e voltámos ___de___ comboio.
2. Queres andar ___na___ minha mota nova?
3. Os turistas gostam de passear ___de___ eléctrico.
4. Nós vamos ___no___ carro do João e vocês vão ___de___ táxi.
5. Ontem saí ___do___ escritório muito tarde.
6. Eles chegam hoje ___do___ Brasil. Vêm ___de___ avião das 7h00.
7. Daqui para a Estrela tem de ir ___no___ autocarro nº 27.
8. Voltámos ___do___ Porto ___no___ comboio das 10h00.
9. Estás muito bronzeada. Vens ___da___ praia?
10. Saiu ___do___ autocarro e apanhou um táxi.

41.4. Faça frases, conjugando os verbos e usando as preposições contraídas ou não com o artigo.

1. (eu / ir / carro / emprego)
   Eu vou de carro para o emprego.
2. (o João / ir / escola / pé)
   O João vai para escola a pé.
3. (nós / ir / carro dele)
   Nós vamos no carro dele.
4. (eles / voltar / Madrid / comboio das 20h30)
   Eles voltam de Madrid no comboio das 20h30
5. (eu / sair / casa / às 8h00)
   Eu saí de casa às 8h00
6. (eles / ir / praia / camioneta)
   Eles vão a praia de camioneta.
   para

87

Unidade 42

a, em cima de, dentro de, etc.

(preposições e locuções prepositivas de lugar)

- **a (à(s), ao(s))**
  Ela está sentada **à** janela.
  — A casa de banho é **à direita** ou **à esquerda**?
  — É **ao fundo** do corredor **à direita**.
  À sombra está-se bem, **ao sol** está muito calor.

- **em (na(s), no(s))**
  - **local**
    Moro **em** Lisboa, **na** Av. da República.
    À noite fico sempre **em casa**.
  - **em cima de**
    Os livros estão **na** mesa.
    Há muito pó **no** chão.
  - **dentro de**
    Pus o dinheiro **no** bolso.
    Não fiquem muito tempo **na** água.
    Ele está **no** quarto. Está deitado **na** cama.

- **em cima de (da(s), do(s))**
  Arrumei os sacos **em cima do** armário.
  A tua mala está **em cima da** cadeira.

- **dentro de (da(s), do(s))**
  Os livros estão **dentro da** pasta.
  Está muito calor **dentro do** autocarro.

- **debaixo de (da(s), do(s))**
  O gato está **debaixo da** mesa.
  Debaixo das árvores está mais fresco.

- **ao lado de (da(s), do(s))**
  A livraria fica **ao lado da** escola.
  A Ana senta-se sempre **ao lado do** João.

- **em frente de (da(s), do(s))**
  O supermercado fica **em frente do** restaurante.

- **à frente de (da(s), do(s))**
  O Pedro está **à frente do** Rui.

- **atrás de (da(s), do(s))**
  O Rui está **atrás do** Pedro.
  O quadro está **atrás da** professora.

- **entre**
  O João está **entre** a Ana e o Pedro.
  Encontrei uma camisa lindíssima **entre** as roupas velhas da avó.

- **perto de / ao pé de (da(s), do(s))**
  A escola fica **perto de** casa.
  O jarro de água está **ao pé dos** copos.

Unidade 42   Exercícios

42.1. Complete com: **à, à frente de, ao lado de, debaixo de, dentro de, em, em frente de, entre** (contraídas ou não com o artigo).

1. Ela está sentada _____ bebé.

2. O táxi vai _____ autocarro.

3. O pássaro está _____ gaiola.

4. Ele está_____ carro.

5. Coimbra fica _____ Lisboa e o Porto.

6. Ela está a tomar banho _____ piscina.

7. Eles encontraram-se ____ porta do cinema.

8. A cadeira está _____ _____ sofá.

42.2. Observe a gravura e complete as frases com **preposições** e **locuções** (contraídas ou não com o artigo).

1. O Pedro e a Ana estão _____ sala de estar.
2. A televisão está _____ sofá.
3. O Pedro está sentado _____ sofá.
4. O gato está _____ mesa.
5. O cesto das revistas está _____ chão, _____ sofá.
6. O Pedro tem os pés _____ cadeira.
7. Os quadros estão _____ parede.
8. A Ana está de pé _____ janela.
9. O jornal está _____ mão do Pedro.
10. Os livros estão _____ estante.
11. As cassetes vídeo estão _____ armário.
12. O sofá está _____ as cadeiras.

13. O candeeiro está _____ Ana.
14. O bebé está sentado _____ mesa.
15. O cão está _____ avó.
16. A jarra está _____ mesa.

42.3. Observe a fotografia e complete as frases com **preposições** e **locuções** (contraídas ou não com o artigo).

ESQUERDA   DIREITA

1. O avô António está de pé _____ esquerda.
2. A D.Helena está de pé _____ o avô e o marido, o Afonso.
3. O Afonso está de pé _____ direita.
4. O João está sentado _____ esquerda, _____ avô.
5. A Ana está sentada _____ o João e o Pedro.
6. O Pedro está sentado _____ direita, _____ pai, o Afonso.
7. O avô António está _____ João.
8. O Afonso está de pé _____ mulher, a D. Helena.
9. A D. Helena está de pé _____ Ana.
10. O João está sentado _____ irmã, a Ana.

Unidade 43   a, de, em, para, por
(preposições de tempo)

• a

- **datas** (com dia do mês)
  O Natal é **a** 25 de Dezembro.

- **dias da semana** (acção habitual)
  Ao(s) sábado(s) jantam sempre fora.

- **horas**
  As aulas começam **às** 9h00.
  Almoçamos **ao** meio-dia (12h00).
  A festa acabou **à** meia-noite (24h00).
- **partes do dia**
  Telefona-me **à noite**.
  À tarde nunca estou em casa.

• de

- **datas**
  Ele nasceu a 20 **de** Fevereiro **de** 1980.
  Faço anos a 15 **de** Janeiro.

- **de ... a**
  O ano lectivo é **de** Setembro **a** Junho.
  Têm aulas **das** 8h00 **ao** meio-dia.

- **partes do dia**
  De manhã estão na escola.
  São 10h00 **da manhã**.
  Almoçamos à 1h00 **da tarde** e
  jantamos às 8h00 **da noite**.

• em

- **datas** (com "dia")
  Vou de férias **no dia** 1 de Agosto.
- **dias da semana** (acção pontual)
  No sábado vamos a uma festa de anos.
- **épocas festivas**
  No Natal e **na** Páscoa vêm sempre a Portugal.
- **estações do ano**
  No Inverno chove muito.

- **meses**
  Os exames são **em** Julho.
- **anos**
  Vasco da Gama chegou à Índia **em** 1498.
- **séculos**
  A Madeira foi descoberta **no** século XV.

• para

- **localização temporal**
  Preciso das cartas prontas **para** as 18h00.
  Para o ano que vem vou aos Estados Unidos.
  Eles chegam **para** a semana.

- **horas**
  São dez **para** as cinco (16h50).

• por

- **tempo aproximado**
  O concerto deve acabar **pelas** 10h00 da noite.
  Eles vêm a Portugal **pelo** Natal.
- **período de tempo**
  Podes ficar com o livro **por** uma semana.
  Empresto-te o dinheiro **por** uns dias.

Unidade 43   Exercícios

43.1. Prencha com **a**, **de** ou **em**, contraídos ou não com o artigo.

1. ___ 10 ___ Agosto.	8. ___ meio-dia (12h00).	15. ___ manhã.
2. ___ nove ___ noite (21h00).	9. ___ Julho ___ 1990.	16. ___ cinco ___ tarde.
3. ___ próxima semana.	10. ___ fim ___ ano.	17. ___ meia-noite (24h00).
4. ___ fim-de-semana passado.	11. ___ uma hora___tarde (13h00).	18. ___ Páscoa.
5. ___ véspera de Natal.	12. ___ dia 5 ___ Março.	19. ___ 1994.
6. ___ férias ___ Verão.	13. ___ Primavera.	20. ___ oito ___ manhã (8h00).
7. ___ tarde.	14. ___ Maio.	21. ___ quatro e meia (16h30).

43.2. Complete com **para** ou **por** (contraído ou não com o artigo).

1. Alugámos a casa _____ dois meses.
2. A chegada do avião está prevista _____ as 14h35.
3. As férias começam _____ a semana.
4. A reunião foi adiada _____ sábado.
5. Podes ficar em minha casa _____ uns dias.
6. São cinco _____ as seis (17h55).
7. Eles disseram que voltavam _____ sete da tarde (19h00).
8. O carro está na garagem. Vou ficar sem ele _____ umas semanas.
9. _____ o ano acabo o curso na Universidade.
10. Foi eleito presidente do clube _____ 2 anos.

43.3. Complete com **a** ou **em** contraídos com o artigo.

1. _____ domingo almoçamos sempre fora.
2. _____ domingo passado almoçámos em casa.
3. _____ sexta-feira _____ noite costumamos ir ao cinema.
4. _____ próxima sexta-feira temos uma festa de anos.
5. Temos aula de História _____ segundas-feiras.
6. _____ segunda que vem não temos, porque vamos visitar um museu.
7. Têm jogo de futebol _____ sábados.
8. _____ próximo sábado é feriado. Por isso não há jogo.

43.4. Complete com **a**, **de** ou **em** (contraídos ou não com o artigo).

1. O concerto começou _____ dez _____ noite (22h00) e acabou _____ meia-noite (24h00).
2. Ela trabalha muito durante a semana. Por isso, _____ fins-de-semana gosta de descansar.
3. O 25 de Abril foi _____ 1974.
4. Almoçarnos _____ uma hora (13h00) e jantamos _____ oito (20h00).
5. Costumo fazer as compras _____ sábados _____ manhã.
6. O curso começa _____ 5 _____ Janeiro e termina _____ dia 30 _____ Março.
7. _____ dia _____ Natal a família reune-se em casa da avó.
8. A maioria das pessoas faz férias _____ Verão, mais precisamente _____ Agosto.
9. Tenho aulas todos os dias: _____ segunda _____ sexta.
10. O caminho marítimo para a Índia foi descoberto pelos portugueses _____ século XV.

Unidade 44 Interrogativos

- **como**...?
  × — **Como** é que se chama?
  — Ana Ramos.
  — **Como** é que está o tempo no Algarve?
  — Está muito calor.
  — **Como** está o senhor?
  — Bem, obrigado.

  — **Como** é a nova secretária?
  — É alta, morena e muito simpática.
  — **Como** é a vossa casa?
  — É grande. Tem 6 assoalhadas.
  — **Como** é que vais para a escola?
  — Vou de autocarro.

- **quem**...? (pessoas)
  — **Quem** é aquela senhora?
  — É a nova professora.
  — **De quem** são esses livros?
  — São meus.
  — **A quem** é que emprestaste o dicionário?
  — Ao João.

  — **Para quem** é essa prenda?
  — É para a minha namorada.
  — **Com quem** é que vieste?
  — Com os meus pais.

- **quando**...? (tempo)
  — **Quando** é que vocês chegaram?
  — Chegámos ontem à noite.

- **onde**...? (local)
  — **Onde** está a minha caneta?
  — Está em cima da mesa.
  — **De onde** és?
  — Sou de Lisboa.
  — **Aonde** vais?
  — Vou ao supermercado.

  — **Para onde** vão?
  — Vamos para casa.
  — **Por onde** vieram?
  — Viemos pela ponte.

- **quanto(s) / quanta(s)**...?
  ⊁ — **Quanto** é um bilhete de ida e volta?
  — São 1 500$00.
  — **Quanto tempo** demora a viagem?
  — 3 horas.
  — **Há quanto tempo** estás na paragem?
  — Há meia hora (30 m).

  ⊁ — **Quantos** anos tens?
  — Tenho 15.
  — **Quantas** cadeiras há na sala?
  — Há 6 cadeiras.

- **qual / quais**...?
  — **Qual** é a profissão dele?
  — É médico.

  — **Quais** são os teus livros? Estes ou aqueles?
  — São estes.

- **o que**...?
  ⊁ — **O que** é que fizeste no sábado?
  — Fui à praia.

- **que**...?
  × — **Que** horas são?
  — É meio-dia.
  × — **Que** dia é hoje?
  — Hoje é sexta-feira.
  × — **A que** horas chega o avião?
  — Às 9h40.

  — **Em que** ano nasceste?
  — Em 1970.
  — **De que** cor é o teu carro?
  — É preto.
  — **Porque** é que faltaste às aulas?
  — Porque estive doente.

- Os interrogativos são frequentemente reforçados pela expressão de realce **é que**:
  - antes do verbo que acompanha o interrogativo
    Onde **é que** moras?
    Qual **é que** é a tua caneta?
  - depois do substantivo que acompanha o interrogativo
    Quanto tempo **é que** demora a operação?

Unidade 44   Exercícios

44.1. Complete com: **quantos/quantas/como/onde/qual/o que/de que cor/quanto tempo/quem/a que horas**.

1. — _____Quem_____ é aquele rapaz?
   — É o meu irmão.
2. — _A que horas_ começam as aulas?
   — Às 8 horas.
3. — _De que cor_ é a bandeira portuguesa?
   — É verde e encarnada.
4. — _O que_ é que estás a ler?
   — Um romance.
5. — _Qual_ é o teu chapéu de chuva?
   — É aquele.

6. — _Quanto tempo_ demorou a viagem?
   — Demorou cerca de quatro horas.
7. — _Quantos_ anos tem a Joana?
   — 18 anos.
8. — _Quantas_ vezes tomas o remédio?
   — 3 vezes por dia.
9. — _Como_ foi a festa?
   — Foi óptima.
10. — _Onde_ é que vives?
    — Em Lisboa.

44.2. Faça perguntas para obter como resposta a parte destacada da frase.

1. A viagem foi **cansativa**. — *Como foi a viagem?*
2. Demorámos **seis horas**. — Quanto tempo demoraram?
3. Chegámos **por volta das 19h00**. — A que horas chegaram?
4. Fomos directos **para o hotel**. — Para Onde foram?
5. **Desfizemos as malas**. — O que é que fizeram?
6. Jantámos **num pequeno restaurante**. — Onde jantaram?
7. Comemos **bife com batatas fritas**. — O que é que comeram?
8. Voltámos **a pé** para o hotel. — Como é que voltaram?
9. A noite estava **quente**. — Como estava a noite?
10. Deitámo-nos cedo **porque estávamos cansados**. — Porque é que se deitaram cedo?

44.3. Complete com:

onde / preposição + onde

1. — _Onde_ fica o supermercado?
   — Na Av. da República.
2. — _Para Onde_ vão nas férias?
   — Para Cabo Verde.
3. — _por onde_ vieram?
   — Pela autoestrada.
4. — _De onde_ és?
   — De Lisboa.

quem / preposição + quem

1. — _Quem_ é que encontraste?
   — O João e a Ana.
2. — _A quem_ deste o recado?
   — À empregada.
3. — _Para quem_ são as flores?
   — Para a minha mãe.
4. — _De quem_ estão a falar?
   — Da nova professora.

o que / que / preposição + que

1. — _O que_ é isso?
   — São postais.
2. — _Que_ horas são?
   — É meio-dia.
3. — _A que_ horas chega o comboio?
   — Às 19h30.
4. — _Em que_ ano foi a revolução?
   — Em 1974.

quanto / quantos / quantas

1. — _Quanto_ é que ganhas?
   — 200 000$00.
2. — _Quantos_ alunos há na turma?
   — 30.
3. — _Quantas_ pessoas morreram?
   — 6.
4. — _Quanto_ é?
   — São 350$00.

Unidade 45   Indefinidos

Indefinidos Variáveis			
singular		plural	
masculino	feminino	masculino	feminino
algum	alguma	alguns	algumas
nenhum	nenhuma	nenhuns	nenhumas
muito	muita	muitos	muitas
pouco	pouca	poucos	poucas
tanto	tanta	tantos	tantas
todo	toda	todos	todas
outro	outra	outros	outras

(Pessoas ou coisas — aplica-se a todas as linhas acima)

nenhum/a

- **algum**... /**nenhum**...
  — Há **algum** lugar livre?
  — Não, não há **nenhum**.
  Alguns alunos não puderam vir.
  Não vieram **nenhuns** (alunos) do 10º ano.

- **muito**... /**pouco**...
  A avó tem **muita** paciência para as crianças.
  Ela tem **pouca** paciência.
  A Ana dá **poucos** erros a escrever.
  O irmão dá **muitos**.

- **tanto**...
  Podem apanhar laranjas. Há **tantas** na árvore.
  Estão **tantos** polícias à porta do banco.

- **todo**...
  Vou **todos** os dias à escola.
  Todos os meus amigos vieram à festa.
  Vamos jantar. Está **toda** a gente com fome.

- **outro**...
  Este bolo está óptimo. Dê-me **outro**.
  A secretária despediu-se. Vamos contratar **outra**.

Indefinidos Invariáveis		
Pessoas	alguém	ninguém
Coisas	tudo	nada

- **alguém**... /**ninguém**...
  — Está **alguém** no escritório?
  — A esta hora **não** está lá **ninguém**.
  Alguém partiu o vidro.
  Ninguém me disse o que se passava.

- **tudo**... /**nada**...
  Ele comeu **tudo**: a sopa, o bife com arroz e a fruta.
  Sem os óculos **não** vejo **nada**.

Unidade 45   Exercícios

45.1. Complete com os **indefinidos variáveis** e **invariáveis**.

1. — Encontraste *alguém* no café?
   — Não, não encontrei *ninguém*.
2. — Está ali *alguém* a chamar-nos.
   — Onde? Não vejo *ninguém*
3. — Bebeste o leite *todo*?
   — Já bebi *tudo*. Não quero mais *nada*.
4. — Percebeste *alguma* coisa?
   — Não, não percebi *nada*.
5. — Fizeste os exercícios *todos*?
   — Fiz *alguns* sozinho.
6. — Tens *algum* amigo no Canadá?
   — Não, não tenho lá *nenhum* amigo.

45.2. Complete com os **indefinidos variáveis** e **invariáveis**.

1. Saiu sem dizer absolutamente *nada*.
2. Depois da festa estivemos a arrumar *tudo*.
3. Ela vai à escola *todos* os dias.
4. Fiquei o dia *todo* em casa.
5. As crianças desarrumaram o quarto *todo*.
6. A Mary está a estudar em Portugal e já tem *algumas* amigas portuguesas.
7. *Todos* os anos trocam de carro.
8. Tenho *pouco* dinheiro. Por isso, não vou de férias.
9. *Alguém* me roubou a carteira.
10. Perdi o dinheiro *todo*. Procurei em *toda* a parte, mas não encontrei *nada*.
11. Não tenho *nada* em casa. Tenho de ir às compras.
12. Esta caneta não escreve. Preciso de *outra*.
13. Esse realizador é desconhecido. *Ninguém* o conhece.
14. Ela é famosíssima. *Toda* a gente a conhece.
15. *Alguns* empregados não vieram. Da fábrica não veio *ninguém*.

45.3. Complete com os **antónimos dos indefinidos** destacados, fazendo as alterações necessárias.

1. Está **alguém** à nossa espera?
   Não está ninguém à nossa espera?
2. Ele comeu **tudo**.
   Ele não comeu nada.
3. Encontrámos **muitas** pessoas conhecidas.
   Encontrámos poucas pessoas conhecidas.
4. Há **alguma** sala livre?
   Não há nenhuma sala livre?
5. Está **alguém** no escritório?
   Não está ninguém no escritório?
6. Ela arrumou **tudo**.
   Ela não arrumou nada.
7. Deram-lhe **algumas** informações?
   Não deram-lhe nenhumas informações?
8. Ele bebe **muito** leite.
   Ele bebe pouco leite.
9. Há **algum** feriado este mês?
   Não há nenhum feriado este mês?
10. As crianças desarrumaram **tudo**.
    As crianças não desarrumaram nada
11. Amanhã tenho **algum** tempo livre.
    Amanhã não tenho nenhum tempo livre.
12. **Muita** gente os conhece.
    Pouca gente os conhece
13. Visitámos **alguns** locais de interesse.
    Não visitámos nenhuns locais de interesse
14. Hoje tive **muito** trabalho.
    Hoje tive pouco trabalho
15. **Alguém** telefonou enquanto estive fora?
    Ninguém telefonou enquanto estive fora?
16. O João acha que sabe **tudo**.
    O João acha que não sabe nada

Unidade 46   Relativos

Antecedente	Relativos invariáveis
Pessoas e/ou coisas Pessoas Lugares	que quem onde

- os relativos fazem referência a pessoas, coisas ou lugares que os antecedem.
- o relativo **quem** está geralmente precedido de uma preposição.
- o relativo **onde** exprime uma circunstância de lugar.

- **que**

As pessoas eram muito simpáticas. Conhecemo-las na festa.	*2 frases*
As pessoas que conhecemos na festa eram muito simpáticas.	*1 frase*
Encontrei uma amiga. Não a via há muito tempo.	*2 frases*
Encontrei **uma amiga que** não via há muito tempo.	*1 frase*
O filme ganhou 4 óscares. Vamos vê-lo hoje.	*2 frases*
O filme que vamos ver hoje ganhou 4 óscares.	*1 frase*
Viste a mala? A mala estava em cima da cadeira.	*2 frases*
Viste **a mala que** estava em cima da cadeira?	*1 frase*

- **quem**

O professor vai na excursão. Estivemos a falar com ele.	*2 frases*
O professor com quem estivemos a falar vai na excursão.	*1 frase*

- **onde**

O restaurante era óptimo. Nós fomos lá.	*2 frases*
O restaurante onde fomos era óptimo.	*1 frase*

Antecedente	Relativos Variáveis			
	singular		plural	
Pessoas ou coisas	masculino	feminino	masculino	feminino
	o qual cujo	a qual cuja	os quais cujos	as quais cujas

- os relativos **o/a qual**, **os/as quais** concordam em género e número com o antecedente e usam-se geralmente precedidos de preposição.
- os relativos **cujo(s)**, **cuja(s)** indicam posse e concordam em género e número com o substantivo que precedem.

- **o qual...**

O teste correu-me bem. Estudei muito para o teste.	*2 frases*
O teste para o qual estudei muito correu-me bem.	*1 frase*
Os amigos chegam amanhã. Falei-te deles.	*2 frases*
Os amigos dos quais te falei chegam amanhã.	*1 frase*

- **cujo...**

Fomos a um restaurante. O dono do restaurante é um amigo nosso.	*2 frases*
Fomos a um restaurante **cujo dono** é um amigo nosso.	*1 frase*
O meu avô vive sozinho. A mulher dele morreu há um ano.	*2 frases*
O meu avô, **cuja mulher** morreu há um ano, vive sozinho.	*1 frase*

Unidade 46   Exercícios

46.1. Complete com **que, quem** ou **onde**.
1. Gosto muito da casa _onde_ moro.
2. O João é um amigo _____ já me ajudou muito.
3. O rapaz de _____ te falei vem cá hoje.
4. Os livros _____ tu precisas estão todos na biblioteca.
5. O hotel _____ ficámos era óptimo.
6. Os sapatos _____ comprei não são confortáveis.
7. Ela não recebeu a carta _____ eu lhe escrevi.
8. Já viste as fotografias _____ a Ana tirou?
9. O professor com _____ tivemos aulas vai-se embora.
10. Lisboa é a cidade _____ se vai realizar a Expo 98.

46.2. Substitua o relativo invariável pela forma variável correspondente.
1. A camioneta **em que** viajámos tinha ar condicionado.
   A camioneta na qual viajámos tinha ar condicionado.
2. O vizinho **com quem** me dou muito bem vai mudar de casa.
   _____
3. A reunião **para que** fomos convocados foi adiada.
   _____
4. O campeonato **em que** eles participam começou ontem.
   _____
5. Os jogadores **de que** todos falam deixaram o clube.
   _____
6. O concerto **a que** assistimos acabou muito tarde.
   _____

46.3. Substitua a parte destacada pelo relativo **cujo(s), cuja(s)**.
1. A rapariga **de olhos azuis** é a irmã da Ana.
   A rapariga, cujos olhos são azuis, é a irmã da Ana.
2. O quarto **com as paredes cor-de-rosa** é o mais bonito.
   _____
3. Os alunos **com os melhores resultados** ganharam uma bolsa de estudo.
   _____
4. Os futebolistas **com a camisola às riscas** são da equipa adversária.
   _____
5. O dicionário **de capa encarnada** é o de português.
   _____
6. O homem **de casaco preto** é o meu professor.
   _____

46.4. Ligue as duas frases com um **relativo**.
1. Os produtos são para exportação. Os produtos são feitos nesta fábrica.
   Os produtos que são feitos nesta fábrica são para exportação.
2. Lisboa é uma cidade em festa na noite de 12 para 13 de Junho. O seu padroeiro é o Santo António.
   _____
3. O empregado era muito simpático. Nós falámos com ele.
   _____
4. Passei no exame. Estudei muito para o exame.
   _____
5. Qual é o nome do hotel? Nós ficámos no hotel.
   _____
6. A senhora ainda está no estrangeiro. Aluguei a casa à senhora.
   _____
7. A história era mentira. Eles contaram a história.
   _____
8. Isso é uma afirmação. Eu não concordo com ela.
   _____
9. Viste o dinheiro? O dinheiro estava em cima da mesa.
   _____
10. O médico era muito competente. Ele atendeu-me.
   _____

Unidade 47   poder, conseguir, saber, conhecer, dever, ter de/que, precisar de

- **poder**
  - **possibilidade / oportunidade**
  Ele tem tido muito trabalho. Só agora é que **pode** tirar férias.
  Hoje não **posso** ir com vocês.
  - **proibição (negativa)**
  Não se **pode** fumar nos transportes públicos.
  O senhor **não pode** estacionar aqui o carro.
  - **pedir / dar autorização**
  — **Posso** entrar?
  — **Pode, pode.**

- **conseguir**
  - **capacidade física / mental**
  Ele não **consegue** estudar com barulho.
  — **Consegues** ver alguma coisa?
  — Não. Sem óculos não **consigo** ver nada.

- **saber**
  - **ter conhecimentos para**
  — **Sabes** trabalhar com esta máquina?
  — Não, não **sei**.
  A minha mãe **sabe** falar russo.

- **conhecer**
  - **já ter visto / já ter ido**
  — **Conheces** o irmão da Ana?
  — **Conheço**, foi meu colega na escola.
  Ainda não **conheço** a tua casa nova.

- **dever**
  - **probabilidade**
  É meia-noite. A estas horas não **deve** estar ninguém no escritório.
  - **obrigação moral** (o que está certo)
  Um jornalista **deve** ter cultura geral.
  Não **devias** fumar. Faz mal à saúde.

- **ter de / que**
  - **forte necessidade**
  Tenho que tomar o antibiótico 3 vezes por dia.
  - **obrigação**
  Em Portugal os homens **têm de** fazer o serviço militar.

- **precisar de**
  - **necessidade**
  Vou ao banco. **Preciso de** levantar dinheiro.
  Vou às compras. A minha mãe **precisa de** ovos, açúcar e manteiga para fazer um bolo.

Unidade 47 Exercícios

47.1. Complete com **poder, conseguir, saber, conhecer** na forma correcta.

1. _Podia_ dizer-me as horas, por favor?
2. Não _____ tocar piano. Nunca aprendi.
3. A Ana não _____ sair. Tem exame amanhã.
4. _____ fazer um telefonema?
5. Não _____ abrir a janela. Ajudas-me?
6. — _____ nadar?
   — _____, mas não muito bem.
7. Estava cansadíssimo, mas não _____ dormir.
8. — _____ o Porto?
   — Não, não _____.
9. Ele não _____ ir à festa no sábado. Estava doente.
10. Não _____ ver nada. Está muita gente à minha frente.
11. Não _____ falar espanhol, mas _____ perceber quase tudo.
12. — _____ os meus pais?
    — Muito prazer. Como estão?
13. Esse rio é perigoso. Não se _____ tomar banho.
14. Ela falou tão depressa que nós não _____ compreender nada.
15. _____ o Algarve muito bem. Vivi em Faro durante 10 anos.

47.2. Complete com **precisar de** na forma correcta.

1. Estás a ficar muito gorda.
   (fazer ginástica) _Precisas de fazer ginástica._
2. A roupa está suja.
   (lavar) _Precisa de ser lavada._
3. Os elevadores não funcionam.
   (arranjar) _____.
4. Não tenho nada em casa.
   (ir às compras) _____.
5. Ele tem o cabelo muito comprido.
   (cortar o cabelo) _____.

47.3. Complete com **dever** na forma correcta.

A

1. — Sabes se a Ana está em casa?
   — (provavelmente está) _Deve estar._
2. — De quem é este dicionário de português?
   — (provavelmente é da Mary) _____
3. — Ninguém atende o telefone.
   — (provavelmente estão de férias) _____
4. — Estou com febre.
   — (provavelmente estás com gripe)_____
5. — Ainda não foste ver esse filme?
   — (provavelmente vou amanhã)_____
6. — Houve um acidente na auto-estrada.
   — (provavelmente ele chega atrasado)_____

B

1. Estás muito gordo. _Devias_ comer menos.
2. Vocês não _____ fumar. Faz mal à saúde.
3. Se não te sentes bem _____ ir ao médico.
4. Eles convidaram-nos para a festa. _____ telefonar a agradecer.
5. _____ sair agora, senão chegas atrasado.
6. O filme é muito violento. Acho que tu não o _____ ver.

47.4. Complete com **ter de / que** na forma correcta.

1. _Temos de_ ganhar o jogo hoje. É a nossa última oportunidade.
2. O banco está quase a fechar. (Eu) _____ sair já.
3. Eles compraram o andar. Mas, para isso, _____ pedir um empréstimo.
4. O filme é óptimo. (Vocês) _____ vê-lo.
5. Se queres passar no exame, _____ estudar mais.
6. Ainda fico a trabalhar. _____ acabar estas cartas.

Unidade 48

Gerúndio Simples; ir + gerúndio
(realização gradual)

Vão descendo que eu já vou.

Indo de táxi é mais rápido.

	Verbos terminados em:		
	-ar	**-er**	**-ir**
Infinitivo	falar	comer	abrir
Gerúndio	**falando**	**comendo**	**abrindo**

- Usamos **o gerúndio** para:
  - substituir uma oração coordenada
    Assaltaram a casa **e levaram** todos os valores.
    Assaltaram a casa, **levando** todos os valores.
  - exprimir uma circunstância de tempo
    Quando viu o carro, parou.
    Vendo o carro, parou.
  - indicar o modo
    Ela ouvia **com lágrimas** nos olhos o relato do acidente.
    Ela ouvia, **chorando**, o relato do acidente.

Realização gradual
ir + gerúndio

eu	**vou**	
tu	**vais**	
você ele ela	**vai**	**andando**
nós	**vamos**	**escrevendo**
vocês eles elas	**vão**	**fazendo**

Vão andando que nós estamos quase prontos.
Vai chamando o táxi que eu já desço.
Enquanto a mãe faz o almoço, a Ana **vai pondo** a mesa.
Enquanto o professor não chega, os alunos **vão lendo** o texto.

Unidade 48   Exercícios

48.1. Complete as frases substituindo a parte destacada pelo **gerúndio**.

1. **Quando chego** a casa, abro logo a televisão.
   Chegando a casa, abro logo a televisão.
2. Junte o açúcar com a manteiga **e misture** bem.
   Junte o açúcar com a manteiga, _____.
3. As crianças entraram na escola **a cantar** e **a rir**.
   As crianças entraram na escola, _____.
4. Ela ganha a vida **a fazer** comida para fora.
   Ela ganha a vida _____.
5. A mãe ouvia **com um sorriso** as histórias do filho.
   A mãe ouvia _____.
6. **Quando durmo** pouco, fico com dores de cabeça.
   _____, fico com dores de cabeça.

48.2. Como...?

1. — Como é que os ladrões entraram?
   — *Partindo* (partir) o vidro.
2. — Como é que a nódoa sai?
   — _____ (esfregar) com força.
3. — Como é que se demora menos tempo?
   — _____ (ir) pela auto-estrada.
4. — Como é que se liga a máquina?
   — _____ (carregar) no botão.
5. — Como é que ele passou no exame?
   — _____ (copiar) pelo colega.
6. — Como é que partiste o braço?
   — _____ (cair) do escadote.
7. — Como é que conseguiste o emprego?
   — _____ (falar) com o director.
8. — Como é que arranjaram o dinheiro?
   — _____ (pedir) um empréstimo ao banco.
9. — Como é que resolveste o problema?
   — _____ (comprar) um segundo carro.
10. — Como é que vocês ganharam o campeonato?
   — _____ (trabalhar) muito.

48.3. Complete com **ir + gerúndio**.

A

Enquanto o professor não chega, os alunos ...

1. *vão lendo o texto* (ler o texto).
2. _____ (escrever a composição).
3. _____ (fazer os exercícios).
4. _____ (ouvir a cassete).
5. _____ (estudar a gramática).
6. _____ (preparar a lição).

B

Enquanto a D. Rita vai às compras, a empregada ...

1. *vai fazendo as camas* (fazer as camas).
2. _____ (arrumar os quartos).
3. _____ (limpar o pó).
4. _____ (estender a roupa).
5. _____ (preparar o almoço).
6. _____ (pôr a mesa).

C

Enquanto o senhor doutor está na reunião, eu ...

1. *vou telefonando aos clientes* (telefonar aos clientes).
2. _____ (fazer os relatórios).
3. _____ (traduzir a carta).
4. _____ (arquivar os processos).
5. _____ (tirar fotocópias).
6. _____ (preencher os impressos).

Unidade 49 desde e há

• **desde** e **há** (expressões de tempo em relação ao presente).

Hoje é sexta.
Não vejo o João e a Ana **desde segunda**.
Não os vejo **há cinco dias**.
• Usamos **desde** para indicar **o começo** de um **período de tempo**.

começo do
período
de tempo

desde	segunda ontem as 10 horas o dia 20 de Julho Março 1990

• Usamos **há** para indicar o **período de tempo**.

há	um dia cinco dias uma hora uma semana dois meses três anos

Compare:

Ele está de férias **desde a semana passada**.
Ele está de férias **há uma semana**.
Ando a tirar o curso **desde 1990**.
Ando a tirar o curso **há quatro anos**.
Conheço-a **desde 1970**.
Conheço-a **há muito tempo**.

• **há** (expressão de tempo em relação ao passado).

Ela saiu de casa **há meia hora**.
— Quando é que chegaste?
— **Há dez minutos**.
Estive com o Paulo **há dois dias**.

há	dez minutos uma hora dois dias três meses um ano

há dois dias		
anteontem	ontem	hoje

• Usamos **há** para indicar um **momento no passado**. Nestes casos o verbo está sempre no passado.

Unidade 49   Exercícios

49.1. Complete com **desde** ou **há**.

1. Ele saiu _____ cinco minutos.
2. Ando a ler o livro _____ duas semanas.
3. Ela estuda inglês _____ os quatro anos.
4. Estou à espera do autocarro _____ meia hora.
5. A casa está alugada _____ Janeiro.

6. Estivemos em Paris _____ três anos.
7. Não vou ao teatro _____ muito tempo.
8. Comprei o carro _____ dois meses.
9. O João está doente _____ quarta-feira.
10. Não ando de bicicleta _____ criança.

49.2. Faça frases com **desde** e **há**.

1. São dez da manhã. Acordei às 8h00.
   Estou acordada desde as 8h00.
   Estou acordada há duas horas.
2. Estamos em Agosto. Eles foram viver para o Porto em Janeiro.
   Eles vivem _____.
   Eles vivem _____.
3. Hoje é sexta-feira. Falei com ele na segunda-feira.
   Não o vejo _____.
   Não o vejo _____.
4. É meio-dia. Tomei o pequeno-almoço às 7h00.
   Já não como _____.
   Já não como _____.
5. Hoje é dia 15. Mudaram para a casa nova no dia 1.
   Estão na casa nova _____.
   Estão na casa nova _____.

49.3. Complete com **desde** e **há**.

1. Eles estão casados _____ 1970. Estão casados _____ mais de vinte anos.
2. Ontem encontrei o João. Já não o via _____ imenso tempo, _____ os tempos da escola.
3. São 14h00. Estou a estudar _____ meia hora. Estou a estudar _____ as 13h30.
4. Vou telefonar aos meus pais. Já não falo com eles _____ uns meses, mais precisamente _____ o Natal.
5. O professor está doente. Não temos aulas _____ quinta-feira, _____ quase uma semana.

49.4. Responda às seguintes perguntas com **desde** ou **há**.

1. Há quanto tempo não lê o jornal? (ontem) _____.
2. Quando é que chegaram? (cinco minutos) _____.
3. Há quanto tempo estuda português? (1992) _____.
4. Desde quando é que vives aqui? (Dezembro) _____.
5. Quando é que foi a estreia? (quinze dias) _____.
6. Há quanto tempo estás à espera? (duas horas) _____.
7. Há quanto tempo estás à espera? (as duas horas) _____.
8. Há quanto tempo não anda de avião? (os cinco anos) _____.
9. Há quanto tempo não anda de avião? (cinco anos) _____.

Unidade 50   haver; haver de + infinitivo

Não **há** nada
dentro da caixa.

Há um coelho dentro da caixa.

Há dois coelhos
dentro da caixa.

Verbo **Haver**						
Forma impessoal						
presente	p.p.s.	imperfeito	pret. perf. composto	pret. mais-que-perf. composto	futuro	condicional
há	**houve**	**havia**	**tem havido**	**tinha havido**	**haverá**	**haveria**

- o verbo **haver** pode ser equivalente a:
  - **ter**
    Há morangos para a sobremesa. (= Temos morangos para a sobremesa.)
  - **dar / ser transmitido**
    Hoje **há** um bom filme na televisão. (= Hoje dá/é transmitido um bom filme na televisão.)
  - **estar**
    Havia muita gente na rua àquela hora. (= Estava muita gente na rua àquela hora.)
  - existir
    Há várias teorias sobre esse assunto. (= Existem várias teorias sobre esse assunto.)
  - **acontecer / passar-se**
    O que é que **houve**? (= O que é que aconteceu/se passou?)

Futuro - Intenção/convicção
haver de + infinitivo

eu	**hei-de**	
tu	**hás-de**	
você ele ela	**há-de**	**fazer** **ir** **ser**
nós	**havemos de**	
vocês eles elas	**hão-de**	

- Usamos **haver de + infinitivo** para exprimir forte **intenção** ou **convicção** relativamente a acções ou factos futuros.

—O que é que queres ser mais tarde?
—**Hei-de ser** médico.

Fomos a Évora. É uma cidade tão bonita que **havemos de voltar** lá.

—Já encontraste a tua mala?
—Ainda não, mas **hei-de encontrar**.

Unidade 50   Exercícios

50.1. Substitua o verbo destacado pela forma correcta do verbo **haver**.

1. Ontem não **tivemos** aulas.
   Ontem não houve aulas.

2. Ainda **estão** duas pessoas na sala de espera.
   _____.

3. **Temos tido** muito trabalho ultimamente.
   _____.

4. Ontem à noite **deu** um programa muito interessante na TV.
   _____.

5. Antigamente **existia** um café naquela esquina.
   _____.

6. Amanhã **temos** uma visita de estudo aos Jerónimos.
   _____.

7. Tu não estás bem. O que é que **aconteceu**?
   _____?

8. Depois da palestra, **tivemos** um debate.
   _____.

9. **Temos** tempo para tomar um café?
   _____.

10. **Está** alguém no escritório a esta hora?
    _____.

11. Não, não **está** lá ninguém.
    _____.

12. Depois do sorteio, **teremos** uma festa-convívio.
    _____.

13. Disseram que no próximo ano **teriam** mais bolsas de estudo para atribuir.
    _____.

50.2. A Ana está a conversar com a Rita sobre o cruzeiro que tenciona fazer ao Mediterrâneo. Complete o diálogo com **haver de + infinitivo** na forma correcta.

Ana: Um cruzeiro pelo Mediterrâneo *há-de ser* (ser) uma experiência muito interessante. Eu _____ (conhecer) outras terras e outros povos.

Rita: Sim e tu _____ (aprender) muito sobre os costumes desses países.

Ana: Eu e o meu marido _____ (tirar) fotografias para te mostrarmos.

Rita: Óptimo. Acho que vocês nunca _____ (esquecer) essas férias. _____ (divertir-se) bastante e depois _____ (contar)-me tudo.

Ana: Claro e um dia, quem sabe, _____ (ir) tu connosco.

50.3. Substitua o futuro por **haver de + infinitivo** na forma correcta.

1. Eles **serão** contactados ainda hoje.
   Eles hão-de ser contactados ainda hoje.

2. Da próxima vez **farás** o que o médico te aconselhar e tudo **correrá** bem.
   _____.

3. Seguindo as indicações do mapa, **encontrarão** facilmente o hotel.
   _____.

4. Durante a nossa estada em Lisboa, **visitaremos** o Mosteiro dos Jerónimos.
   _____.

5. Faz como te expliquei e não **haverá** problemas.
   _____.

6. Eles gostaram imenso de Veneza. Um dia, também eu lá **irei**.
   _____.

Apêndice 1

Lista de Verbos

Presente e Pretérito Perfeito Simples do Indicativo

		eu	tu	você ele/ela o sr./a srª	nós	vocês eles/elas os srs./as srªs
Verbos Regulares	fal**ar**	fal**o**	**-as**	**-a**	**-amos**	**-am**
	beb**er**	beb**o**	**-es**	**-e**	**-emos**	**-em**
	abr**ir**	abr**o**	**-es**	**-e**	**-imos**	**-em**
	-ar	**-ei**	**-aste**	**-ou**	**-ámos**	**-aram**
	-er	**-i**	**-este**	**-eu**	**-emos**	**-eram**
	-ir	**-i**	**-iste**	**-iu**	**-imos**	**-iram**
dar	P.I	dou	dás	dá	damos	dão
	P.P.S	dei	deste	deu	demos	deram
estar	P.I	estou	estás	está	estamos	estão
	P.P.S	estive	estiveste	esteve	estivemos	estiveram
dizer	P.I	digo	dizes	diz	dizemos	dizem
	P.P.S	disse	disseste	disse	dissemos	disseram
fazer	P.I	faço	fazes	faz	fazemos	fazem
	P.P.S	fiz	fizeste	fez	fizemos	fizeram
trazer	P.I	trago	trazes	traz	trazemos	trazem
	P.P.S	trouxe	trouxeste	trouxe	trouxemos	trouxeram
haver	P.I			há		
	P.P.S			houve		
ler	P.I	leio	lês	lê	lemos	lêem
	P.P.S	Regular				
ver	P.I	vejo	vês	vê	vemos	vêem
	P.P.S	vi	viste	viu	vimos	viram
perder	P.I	perco	perdes	perde	perdemos	perdem
	P.P.S	Regular				
poder	P.I	posso	podes	pode	podemos	podem
	P.P.S	pude	pudeste	pôde	pudemos	puderam
querer	P.I	quero	queres	quer	queremos	querem
	P.P.S	quis	quiseste	quis	quisemos	quiseram
saber	P.I	sei	sabes	sabe	sabemos	sabem
	P.P.S	soube	soubeste	soube	soubemos	souberam
ser	P.I	sou	és	é	somos	são
	P.P.S	fui	foste	foi	fomos	foram
ter	P.I	tenho	tens	tem	temos	têm
	P.P.S	tive	tiveste	teve	tivemos	tiveram
vir	P.I	venho	vens	vem	vimos	vêm
	P.P.S	vim	vieste	veio	viemos	vieram
dormir	P.I	durmo	dormes	dorme	dormimos	dormem
	P.P.S.	Regular				
ir	P.I	vou	vais	vai	vamos	vão
	P.P.S	fui	foste	foi	fomos	foram
ouvir	P.I	ouço/oiço	ouves	ouve	ouvimos	ouvem
	P.P.S	Regular				
pedir	P.I	peço	pedes	pede	pedimos	pedem
	P.P.S	Regular				
sair	P.I	saio	sais	sai	saímos	saem
	P.P.S	saí	saíste	saiu	saímos	saíram
servir	P.I	sirvo	serves	serve	servimos	servem
	P.P.S	Regular				
subir	P.I	subo	sobes	sobe	subimos	sobem
	P.P.S	subi	subiste	subiu	subimos	subiram
pôr	P.I	ponho	pões	põe	pomos	põem
	P.P.S	pus	puseste	pôs	pusemos	puseram
haver de	auxiliar	hei-de	hás-de	há-de	havemos de	hão-de

Apêndice 1

Lista de Verbos

Pretérito Imperfeito do Indicativo

		eu	tu	você ele/ela o sr./a sr.ª	nós	vocês eles/elas os srs./as sr.ªas
Verbos Regulares	-ar	**-ava**	**-avas**	-ava	-ávamos	-avam
	-er	-ia	-ias	-ia	-íamos	-iam
	-ir	-ia	-ias	-ia	-íamos	-iam
ser	Imp.	era	eras	era	éramos	eram
ter	Imp.	tinha	tinhas	tinha	tínhamos	tinham
vir	Imp.	vinha	vinhas	vinha	vínhamos	vinham
pôr	Imp.	punha	punhas	punha	púnhamos	punham

Futuro Imperfeito do Indicativo

	eu	tu	você ele/ela o sr./a sr.ª	nós	vocês eles/elas os srs./as sr.ªas
Verbos Regulares	**-ei**	**-ás**	-á	-emos	-ão
dizer	direi	dirás	dirá	diremos	dirão
fazer	farei	farás	fará	faremos	farão
trazer	trarei	trarás	trará	traremos	trarão

Condicional Presente

	eu	tu	você ele/ela o sr./a sr.ª	nós	vocês eles/elas os srs./as sr.ªas
Verbos Regulares	**-ia**	**-ias**	-ia	-íamos	-iam
dizer	diria	dirias	diria	diríamos	diriam
fazer	faria	farias	faria	faríamos	fariam
trazer	traria	trarias	traria	traríamos	trariam

Apêndice 2

Pronomes Pessoais

Sujeito	Complemento				Reflexo
	Indirecto	Directo	Com preposição	Com preposição "com"	
eu	me	me	mim	comigo	me
tu	te	te	ti	contigo	te
você	lhe	o, a	si	consigo	se
o senhor		o	si (o senhor)	consigo (com o senhor)	
a senhora		a	si (a senhora)	consigo (com a senhora)	
ele		o	ele	com ele	
ela		a	ela	com ela	
nós	nos	nos	nós	connosco	nos
vocês	vos	vos	vocês	com vocês	se
os senhores			os senhores	convosco	
as senhoras			as senhoras	convosco	
eles	lhes	os	eles	com eles	se
elas		as	elas	com elas	

Alterações sofridas pelas formas de <u>complemento directo</u> **o, a, os, as**:

- r̸
- s̸ } L   Vou comprar <u>as laranjas</u>. ——> You comprá-**las**.
- z̸   Tu lava**s** <u>os morangos</u>. ——> Tu lava-**los**.

Tra**z** <u>o livro</u> amanhã. ——> Trá-**lo** amanhã.

-m

-ão } N   Faça**m** <u>o trabalho</u>. ——> Faça<u>m</u>-**n**o.

-õe   Eles d**ão** <u>as informações</u>. ——> Eles d<u>ão</u>-**n**as.

Põ**e** <u>o chapéu</u>. ——> Põ<u>e</u>-**n**o.

☞ | Excepções:

Ele quer <u>o bolo</u>. ——> Ele quer<u>e</u>-o.

Tu tens <u>a caneta</u>? ——> Tu te<u>m</u>-la.

Apêndice 3

Plural dos substantivos e adjectivos

Terminados em:

- **Vogal** ou **ditongo** (excepto - ão)

mesa - mesas	irmã - irmãs
cidade - cidades	pé - pés
táxi - táxis	mãe - mães
livro - livros	mau - maus
peru - perus	céu - céus

   Ditongo - ão

   irmão - irmãos / mão - mãos
   alemão - alemães / pão - pães
   estação - estações / tostão - tostões

- **Consoante**

   - l
   - **al**: jornal — jornais
   - **el**: hotel - hotéis / pastel - pastéis / possível - possíveis
   - **il**: difícil - difíceis / fácil - fáceis
   - **ol**: espanhol - espanhóis
   - **ul**: azul - azuis

   - m
   bom - bons / homem - homens / jardim - jardins

   - r
   cor - cores / lugar - lugares / mulher - mulheres

   - s
   lápis - lápis
   país - países / português - portugueses

   - z
   feliz - felizes / rapaz - rapazes / vez - vezes

CHAVE DOS EXERCÍCIOS

Unidade 1

1.1.

2. somos
3. sou
4. são

5. és
6. é
7. é

8. são
9. somos
10. são

1.2.

2. sou/é
3. é
4. são
5. são
6. é

7. é
8. é
9. és
10. são
11. é

12. é
13. somos
14. é
15. é

1.3.

2. O futebol é um desporto muito popular.
3. Tu não és espanhol.
4. Elas são boas alunas.
5. Esta casa é moderna.
6. Nós somos secretárias.
7. O teste não é difícil.

8. Estes discos são da minha irmã.
9. A minha secretária é de madeira.
10. Aquela camisola não é cara.
11. Tu e o Miguel são amigos.
12. Eu sou magro.
13. A caneta é da Ana.

1.4.

3. O cão é um animal selvagem.
4. A gasolina é muito cara.
5. O avião é um meio de transporte rápido.
6. Portugal não é um país grande.
7. Nós somos estrangeiros.
8. Hoje (não) é quarta-feira.
9. Este prédio (não) é muito alto.

10. Os Alpes não são na Ásia.
11. A minha camisola (não) é de lã.
12. Vocês (não) são economistas.
13. Esta mala (não) é pesada.
14. Tu e ele (não) são amigos.
15. O rio Tejo é em Portugal.

Unidade 2

2.1.

1. estás
2. está
3. está
4. estamos

5. está
6. estão
7. estou

8. estão
9. estão
10. estamos

2.2.

1. está
2. está/estão
3. está
4. estou
5. estou

6. está
7. estão
8. está
9. estão
10. estão

11. está
12. estão
13. está/está
14. estamos
15. está

2.3.

2. Hoje está muito calor.
3. Os meus amigos estão na escola.
4. Eu estou na sala de aula.
5. A sopa não está muito quente.
6. Tu estás cansado.
7. Lá fora está muito frio.
8. O Pedro está deitado, porque está doente.

9. O almoço está pronto.
10. O cão não está com fome.
11. Eu e a Ana estamos com sono.
12. A D.Graça não está no escritório.
13. Ela está de férias.
14. Eles estão à espera do autocarro.
15. Vocês não estão em casa.

Unidade 3

3.1.

1. está
2. está
3. são
4. está
5. são
6. está
7. é
8. estou
9. está
10. estão
11. está
12. é
13. é/está
14. é
15. estão

3.2.

1. Hoje nós não estamos em casa à noite.
2. Eu estou cansada.
3. A minha mulher é professora.
4. O João está com fome.
5. Tu estás atrasado.
6. Esta sala é muito escura.
7. Eu não estou com sede.
8. Ela é de Lisboa.
9. De manhã está muito frio.
10. A Ana está no estrangeiro.
11. As canetas estão em cima da mesa.
12. Os bolos de chocolate são sempre muito doces.

3.3.

2. O quadro é muito interessante.
   O quadro está na parede
3. As mesas são grandes.
   As mesas estão sujas.
4. O supermercado é grande.
   O supermercado está aberto.
5. O empregado é simpático.
   O empregado está cansado.
6. Ele é inteligente.
   Ele está contente.

Unidade 4

4.1

2. está a fazer
3. está a tomar
4. estou a ver
5. estamos a compreender
6. está a chegar
7. está a beber
8. estou a ler
9. estão a brincar
10. está a chover

4.2.

3. Eu (não) estou a ouvir música.
4. Hoje (não) está a chover.
5. O telefone (não) está a tocar.
6. Eu (não) estou a ler o jornal.
7. Os meus colegas (não) estão a fazer os exercícios.
8. Eu (não) estou a conversar.
9. Eu (não) estou a tomar café.
10. Eu (não) estou a comer uma banana.

4.3.

1. Ele está a apanhar sol.
2. Ele está a ver televisão.
3. Ela está a ler um livro.
4. Ele está a escrever uma carta.
5. Ele está a andar de bicicleta.
6. Ele está a atravessar a rua.

Unidade 5

5.1.

1. falo
2. mora
3. usas
4. compra
5. almoçamos
6. trabalham
7. pagam
8. tomam
9. fica

5.2.

1. fecham
2. fuma
3. moramos
4. ensina
5. gosto
6. jogam
7. levanto
8. ficamos
9. lava
10. usa
11. apanha
12. começa/acaba

5.3.

1. toca
2. falamos
3. trabalho
4. gosta
5. andam
6. estudam
7. tomo
8. paga
9. telefona
10. jantas
11. encontram
12. ganha
13. brincam

Unidade 6

6.1.

1. escreve
2. compreende
3. comemos
4. conheço
5. bebes
6. resolvem
7. desce
8. aqueço
9. vivo
10. correm
11. aprendem
12. esqueço

6.2.

1. bebemos/comemos
2. aprendem
3. parece
4. vivem
5. chove
6. escreve
7. compreendo
8. atende
9. esqueces
10. desço
11. conhece
12. responde

6.3.

2. Bebo.
3. Resolvo.
4. Conheço.
5. Aprendo.
6. Vivo.
7. Chove.
8. Escrevo.
9. Atendo.
10. Compreendo.
12. Bebemos.
13. Corremos.
14. Vivemos.
15. Conhecemos.
16. Compreendemos.
17. Descemos.
18. Aprendemos.
19. Resolvemos.
20. Recebemos.

Unidade 7

7.1.

1. sei
2. traz
3. vêem
4. digo
5. queremos
6. posso
7. põe
8. lêem
9. trago
10. quer
11. vejo
12. lê
13. faço
14. leio
15. põem
16. ponho
17. faz
18. perco
19. vêem
20. lêem

7.2.

2. lêem
3. fazem
4. sabe
5. vê
6. quer/quero
7. põe/ponho/põe

7.3.

2. Eu nunca vejo televisão.
3. Ela faz anos hoje.
4. Amanhã (eu) faço uma festa em casa.
5. (Eu) não sei o nome dela.
6. O sr. Ramos lê o jornal todos os dias.
7. Eu trago uma prenda para a Ana.
8. Eu não posso sair à noite.
9. Eles trazem os livros na pasta.
10. Eu leio o jornal todos os dias.
11. Ela sabe falar muitas línguas.
12. A empregada traz o pão de manhã.
13. Hoje (eu) quero ficar em casa.
14. Ele vê mal ao longe.
15. Eu já leio o jornal em português.
16. Eu nunca perco o chapéu de chuva.

Unidade 8

8.1.

1. abrem
2. peço
3. caímos
4. oiço/ouço
5. durmo
6. saem
7. consigo
8. subimos
9. sinto
10. vestes
11. parte
12. prefiro
13. vou
14. vêm
15. vamos
16. venho

8.2.

2. O empregado serve o café à mesa.
3. Ela sai com os amigos.
4. O senhor segue sempre em frente.
5. Os bancos abrem às 8h30.
6. Ela divide o bolo com os irmãos.
7. Eu prefiro ficar em casa.
8. O avião parte às 17h00.
9. Nós vamos ao cinema.
10. Eu não consigo estudar com barulho.
11. Eles vêm de autocarro.

8.3.

2. Consigo.
3. Durmo.
4. Vou.
5. Saio.
6. Peço.
7. Ouço/oiço.
8. Visto.

9. Vou.
10. Parto.
12. Subimos.
13. Vamos.
14. Ouvimos.
15. Partimos.

16. Conseguimos.
17. Vamos.
18. Preferimos.
19. Despimos.
20. Saímos.

Unidade 9

9.1.

2. (Eles) fazem reportagens.
   Agora estão a entrevistar um político.
   não estão.
3. (Ele) ensina português.
   Agora está a corrigir exercícios.
   está.

4. (Ela) escreve cartas.
   Agora está a atender o telefone.
   não está.
5. (Eles) estudam línguas.
   Agora estão a fazer exercícios.
   estão.

9.2.

2. vêem
3. estou a arranjar
4. bebe/come
5. jogam
6. estão a jogar

7. estás a fazer/estou a estudar
8. gostam/gostamos
9. estou a ouvir
10. está a tomar.

Unidade 10

10.1.

1. tenho
2. tem
3. temos
4. têm

5. têm
6. tens
7. tem
8. têm

9. tem
10. temos
11. têm
12. têm

10.2.

1. têm
2. temos
3. tem
4. tem

5. tenho
6. tenho
7. têm/têm

8. tens/tenho
9. tem/tem
10. tenho

10.3.

3. Não, não temos, mas ele tem.
4. Tenho. Tenho três filhos.
5. Não, não tenho, mas eles têm.
6. Tem. Tem quatro irmãos.
7. Não, não tenho, mas a Ana tem.

8. Temos. Temos dois carros.
9. Não, não tenho, mas ela tem.
10. Temos. Temos muitos amigos.
11. Não, não tenho, mas o Pedro tem.
12. Não, não temos, mas ele tem.

Unidade 11

11.1.

1. fui
2. teve
3. esteve
4. foi
5. foi
6. tive

7. estive
8. tiveste
9. fomos
10. fui
11. foram
12. tivemos

13. esteve
14. foste
15. teve
16. foram
17. estivemos
18. tiveram

19. estiveste
20. foste
21. fomos
22. tiveram
23. foi
24. estiveram

11.2.

2. Foram, foram.
3. Foi, foi.
4. Foi, foi.
5. Foi, foi.
6. Fui, fui.
8. Fui, fui.
9. Fui, fui.
10. Fomos, fomos.

11. Foi, foi.
12. Fui, fui.
13. Fomos, fomos.
15. Tivemos, tivemos.
16. Tive, tive.
17. Tive, tive.
18. Tive, tive.

20. Esteve, esteve.
21. Estive, estive.
22. Estive, estive.
23. Estive, estive.
24. Estive, estive.
25. Estivemos, estivemos.

11.3.

1. ele foi de carro para o trabalho.
2. fui ao supermercado.
3. fomos ao cinema.
4. tive um teste.
5. esteve doente.

6. estive em casa à noite.
7. foi um bom aluno
8. estiveram
9. foram
10. foram a uma festa.

Unidade 12

12.1.

1. comprou
2. dormiste
3. falámos
4. partiram

5. nasceu
6. paguei
7. fiquei
8. comemos

9. conseguiu
10. perderam
11. comecei
12. abriste

12.2.

2. ouvi
3. comprámos
4. trabalhei

5. dormi
6. paguei
7. perdemos

8. tomei
9. encontrámos
10. li

12.3.

Tomou duche/tomou o pequeno-almoço às 11h00/foi às compras
À tarde leu o jornal/ouviu música
À noite jantou fora/foi ao cinema com os amigos/voltou para casa à meia-noite
dormiu até ao meio-dia/almoçou fora
À tarde arrumou a casa/escreveu aos amigos/telefonou à avó
À noite ficou em casa/foi para a cama cedo

Unidade 13

13.1.

1. pus
2. pôde
3. deu
4. vi

5. fez
6. quiseste
7. vim
8. trouxe

9. souberam
10. vimos
11. trouxeram
12. pôs

13. veio
14. fiz
15. demos
16. pude

13.2.

1. fizeram
2. quis
3. veio/trouxe
4. pôs

5. pude
6. vimos
7. fizeram
8. vieram

9. deu
10. viste
11. souberam
12. viu/vi

13.3.

2. Eles trouxeram presentes para todos.
3. Eu não pude ir ao cinema.
4. Nós vimos um bom filme na TV.
5. Ninguém fez os exercícios.
6. Vocês souberam o que aconteceu?
7. Os meus amigos deram uma festa no sábado.
8. Ela quis ficar em casa.

9. Eles puseram os casacos e saíram.
10. O que é que tu fizeste ontem?
11. Vocês trouxeram os livros?
12. Eu não vi o acidente.
13. O Pedro não pôde ir ao futebol.
14. Quantos erros deu a Ana na composição?
15. Eu vim de carro para a escola.

Unidade 14

14.1.

3. veste-<u>se</u>
4. encontram-<u>se</u>
5. <u>se</u> esqueceu

6. <u>se</u> chama
7. <u>se</u> lembram
8. deitam-<u>se</u>

9. <u>te</u> lavaste
10. <u>me</u> lavei

14.2.

1. me levanto
2. encontramo-nos
3. sentas-te/sento-me
4. chama-se

5. deitamo-nos
6. lembro-me
7. esqueci-me

8. nos lavámos
9. me lembro
10. levantei-me/levantou-se

Unidade 15

15.1.

1. era
2. ficava
3. punha
4. andavas
5. comíamos
6. tinha
7. liam

8. viam
9. iam
10. ouvias
11. faziam
12. vinha
13. estava
14. pedíamos

15. queria
16. levantava-me
17. escrevia
18. ajudavas
19. íamos
20. vinham
21. eras

15.2.

2. Fazia as camas.
3. Arrumava a roupa.
4. Tomava duche.
5. Depois descia até ao 1º andar para tomar o pequeno-almoço.
6. Comia em silêncio.
7. Assistia à missa das 7h00.
8. As aulas começavam às 8h00.
9. À tarde fazia ginástica.
10. Das 17h00 às 18h00 estudava na biblioteca do colégio.
11. Às 19h00 jantava na cantina.
12. Depois do jantar conversava com os amigos e via televisão.
13. Cerca das 21h00 ia dormir.

15.3.

1. eram/viviam
2. levantavam-se
3. saiam/iam
4. tinham

5. voltavam/almoçavam/iam
6. brincavam
7. jantavam/deitavam-se

Unidade 16

16.1.

2. Costumava trabalhar num escritório; agora trabalho num banco.
3. Ao domingo costumavam ficar em casa; agora vão ao cinema.
4. Costumávamos ter férias em Julho; agora temos férias em Agosto.
5. Costumava ser muito gordo; agora é magro.
6. A Ana costumava estudar pouco; agora estuda muito.
7. O sr. Machado costumava chegar atrasado; agora chega a horas.
8. Costumava praticar desporto; agora não faço nada.
9. Aos sábados costumava ir à praça; agora vai ao supermercado.
10. As crianças costumavam brincar em casa; agora brincam no jardim.
11. O João costumava viver com os pais; agora vive sozinho.

16.2.

2. Antigamente não havia aviões.
   As pessoas costumavam viajar de comboio.
3. Antigamente não havia carros.
   As pessoas costumavam andar mais a pé.
4. Antigamente não havia telefones.
   As pessoas costumavam escrever cartas.
5. Antigamente não havia televisão.
   As pessoas costumavam conversar mais.
6. Antigamente não havia cinema.
   As pessoas costumavam ir ao teatro.

16.3.

2. A mãe costumava fazer compras na mercearia local.
3. As crianças costumavam brincar na rua.
4. À tarde costumavam dar passeios de bicicleta.
5. Aos domingos costumavam fazer um piquenique.

Unidade 17

17.1.

1. tinhas/tinha/tinha
2. eram
3. era
4. tinha/tinha/eram
5. eram

17.2.

2. Enquanto os filhos tomavam duche, a mãe arrumava os quartos.
3. Enquanto eu via televisão, ele lia o jornal.
4. Enquanto eles preparavam as bebidas, nós púnhamos a mesa.
5. Enquanto ela estava ao telefone, tomava notas.
6. Enquanto a Ana e o João estudavam, ouviam música.
7. Enquanto a orquestra tocava, o sr. Ramos dormia.
8. Enquanto as crianças brincavam, nós conversávamos.
9. Enquanto o professor ditava, nós escrevíamos os exercícios.
10. Enquanto a empregada limpava a casa, eu tratava das crianças.

Unidade 18

18.1.

2. O joão estava a dormir.
   A mãe entrou.
   Ele levantou-se.
3. O sr. Pinto estava a pintar a sala.
   Ele caiu do escadote.
   Ele partiu o braço.
4. Eles estavam no jardim.
   Começou a chover.
   Eles foram para casa.
5. Eu estava a ouvir música.
   O chefe chegou.
   Eu desliguei o rádio.

18.2.

2. O João estava a tomar duche quando o telefone tocou.
3. Estava a chover quando nós saímos de casa.
4. Os alunos estavam a trabalhar quando o professor entrou.
5. Eu estava a ver televisão quando os meus amigos tocaram à porta.
6. Eles estavam a jogar futebol quando começou a chover.
7. Nós estávamos a trabalhar quando o computador se avariou.

18.3.

3. tinha/comi
4. estava/fui
5. chegou/tomávamos
6. estava/estavam/cheguei
7. foi/estava
8. fizeram/fomos
9. estava a trabalhar (trabalhava)/saí
10. encontrámos/trazia
11. estava a tomar (tomava)/ouvi/levantei-me/olhei/vi
12. era/era/usava
13. era/tinha
14. estava/falámos
15. vinham/viram

Unidade 19

19.1.
2. trazia
3. passava
4. dizia
5. dava

19.2.
2. queria
3. ia
4. conseguíamos
5. preferia
6. chegavas
7. adoravam
8. queria
9. ficava
10. era
11. apetecia
12. gostava

19.3.
2. Ia ao cinema, mas tenho de estudar.
3. Comia o bolo, mas estou a fazer dieta.
4. Eles iam à festa, mas não podem sair.
5. Fazia a viagem, mas não tenho dinheiro.
6. Tomava um café, mas o café faz mal.

Unidade 20

20.1.
2. tinha comido.
3. tinham voltado para França.
4. Tinha tido um acidente.
5. Tinha dormido 12 horas.
6. tinha combinado ir ao concerto.
7. tinha aprendido.
8. tínhamos visto o filme.
9. tinha andado de avião.
10. As crianças tinham ido para a cama.

20.2.
2. tinha começado/entrámos
3. levantei/tinha arrumado
4. tínhamos acabado/telefonaste
5. encontrámos/tinha falado

20.3.
3. tinham dormido
4. dormiste
5. tive
6. tinha tido
7. andei
8. tinha andado

Unidade 21

21.1.
2. tem ido/tem estado
3. tenho tido
4. temos ido
5. tem feito/têm saído

21.2.
2. Eu não tenho falado com eles ultimamente.
3. Vocês têm encontrado o João?
4. Ele não tem vindo trabalhar.
5. A tua equipa tem ganho muitos jogos?
6. Nós temos perdido quase todos os jogos.
7. O tempo tem estado óptimo.
8. Eles têm ido à praia todos os dias.
9. Nestes últimos anos eu não tenho tido férias.
10. O meu marido tem trabalhado muito.

21.3.
2. tem descansado/nasceu
3. fui/tenho estado
4. acabaram/têm tido
5. tenho visto/ficou
6. compraram/têm dado
7. começou/tem feito
8. mudei/tenho encontrado
9. temos ido/nos casámos
10. tem vindo/abriu

Unidade 22

22.1.

   2. Ela vai fazer os exercícios.
      Ela está a fazer os exercícios.
      Ela acabou de fazer os exercícios.
   3. O João vai tomar duche.
      O João está a tomar duche.
      O João acabou de tomar duche.

   4. Eu e a Ana vamos pôr a mesa.
      Eu e a Ana estamos a pôr a mesa.
      Eu e a Ana acabámos de pôr a mesa.
   5. Eles vão falar com o professor.
      Eles estão a falar com o professor.
      Eles acabaram de falar com o professor.

22.2.

   2. O que é que a Ana vai fazer depois das aulas?
      Vai jogar ténis.
   3. O que é que tu vais fazer logo à tarde?
      Vou estudar português.
   4. O que é que nós vamos fazer amanhã de manhã?
      Vamos fazer compras.
   5. O que é que vocês vão fazer no próximo fim-de-semana?
      Vamos passear até Sintra.

22.3.

   2. Acabámos de entrar.
   3. Acabou de levantar-se.

   4. Acabou de vestir-se.
   5. Acabaram de chegar.

Unidade 23

23.1.

   1. irei
   2. terás
   3. viajará
   4. partirá

   5. farei
   6. diremos
   7. trará
   8. serão

   9. virão
  10. sairei
  11. falaremos
  12. comeremos

  13. ouvirão
  14. verás
  15. porá
  16. poderei

23.2.

   2. Ficará lá dois dias.
   3. No dia 18 chegará a Paris.
   4. Cinco dias depois viajará para Viena.

   5. De Viena irá para Roma.
   6. No dia seguinte partirá para Atenas.

23.3.

   2. será
   3. falarei

   4. gostarei
   5. farei

23.4.

   2. começará/visitará
   3. estará

   4. irá/ficará
   5. tem/terá

23.5.

   1. será
   2. estará
   3. será

   4. passarão
   5. estará

Unidade 24

24.1.

   1. daríamos
   2. serias
   3. faria
   4. poderia

   5. iria
   6. leria
   7. trarias
   8. estaria

   9. veriam
  10. diríamos
  11. viria
  12. falaria

  13. teriam
  14. poria
  15. ouviriam
  16. chegaríamos

24.2.

2. Daria...
3. Poderia...
4. ...deveriam...
5. ...gostaria...

6. ...seria...
7. ...estaria...
8. Poderíamos...

9. ...adoraria...
10. ...seria...
11. ...importaria...

24.3.

2. iria
3. pagaria
4. gastaria
5. falaria

6. seria
7. veria
8. leria

9. diria
10. contaria

Unidade 25

25.1.

2. as	12. a	22. a	32. o
3. a	13. o	23. o	33. a
4. os	14. a	24. a	34. o
5. a	15. o	25. o	35. a
6. as	16. a	26. a	36. os
7. a	17. o	27. o	37. a
8. o	18. a	28. a	38. o
9. as	19. o	29. o	39. a
10. a	20. a	30. a	40. o

25.2.

2. uma
3. um
4. uma
5. um

6. uma
7. um
8. uma
9. uma

10. uma
11. um
12. umas

25.3.

2. a
3. uma
4. A
5. o
6. uma

7. o
8. O/a
9. uma/a
10. um
11. umas/uns

12. As
13. um
14. um/uma
15. O/a
16. um

Unidade 26

26.1.

2. isso
3. aquilo
4. isso

5. aquilo
6. isto
7. isto

8. aquilo
9. isto
10. isso

11. isto
12. isso

26.2.

2. aquilo
3. isto
4. aquilo

5. isso
6. aquilo
7. isto

8. aquilo
9. isso

10. isto
11. isso

26.3.

2. Aquilo é a escola de português.
3. Isso é o quadro da sala.
4. Isto é uma borracha.
5. Isso são canetas.

7. Isto é uma janela.
8. Isso é um dicionário.
9. Aquilo é a pasta do professor.
10. Isto é uma caneta.

Unidade 27

27.1.
2. este
3. este
4. esta
5. estas
6. estes
7. esta
8. este
9. estes
10. esta
11. este
12. estas

27.2.
2. essas
3. esse
4. esses
5. esse
6. essas
7. essa
8. essas
9. esse
10. essas
11. essa
12. esse

27.3.
2. aquela
3. aquele
4. aqueles
5. aquelas
6. aquele
7. aquela
8. aqueles
9. aquele
10. aquele
11. aquelas
12. aquela

27.4.
2. Aquelas flores são artificiais.
3. Este presente é para o professor.
4. Esses óculos são da Ana.
5. Aquele supermercado é novo.

27.5.
2. Esse/este
3. Esses/estes
4. Essa/esta
5. Esse/este
6. Essa/esta
7. Esse/este
8. Essas/estas
9. Esse/este
10. Essa/esta

Unidade 28

28.1.
3. É vosso.
4. São minhas.
5. É teu.
6. São deles.
7. São nossas.
8. É dela.
9. São vossas.
10. É dele.
11. É seu.
12. São nossos.

28.2.
2. dele
3. dela
4. deles
5. dele
6. delas

28.3.
3. o seu carro
4. a minha escola
5. o nosso quarto
6. a mala dela
7. os vossos amigos
8. os namorados delas
9. as suas canetas
10. o escritório dele
11. os vossos livros
12. os nossos avós
13. a tua casa
14. os filhos deles
15. o vosso dicionário
16. a nossa filha

Unidade 29

29.1.
2. no mês seguinte ia mudar para um apartamento novo.
3. se ia casar na semana seguinte.
4. não tinha tempo para preparar nada.
5. tinha tirado uns dias de férias para tratar de tudo o que era necessário.
6. eu queria ir jantar a casa dela.
7. o futuro marido dela também iria ao jantar.
8. ele trabalha (trabalhava) com computadores.
9. já tinham feito os planos para a lua-de-mel.
10. iam fazer um cruzeiro pelo Mediterrâneo.
11. partiriam logo a seguir ao casamento.
12. eu estava convidada para a festa.

29.2.

  2. tinhas dito que ias ao cinema.
  3. Pensei que tinhas dito que o filme não tinha sido bom.
  4. Julguei que tinhas dito que a Ana não gostava do João.
  5. Pensei que tinhas dito que eles não se iam casar.
  6. Julguei que tinhas dito que tomavas (sempre) café.
  7. Pensei que tinhas dito que querias falar com eles.
  8. Julguei que tinhas dito que podias ir à festa.
  9. Pensei que tinhas dito que hoje à noite não ficavas em casa.
 10. Julguei que tinhas dito que não tinhas chumbado no exame.
 11. Pensei que tinhas dito que o empregado não era simpático.
 12. Julguei que tinhas dito que não tinhas pago o almoço.
 13. Pensei que tinhas dito que não tinhas gasto o dinheiro todo.

Unidade 30

30.1.

  2. pensarmos
  3. chegarem
  4. partirem
  5. estarem
  6. aceitarem

  7. encontrarmos
  8. tomarem
  9. chegar
 10. irem
 11. saberem

 12. voltar
 13. comeres
 14. provares
 15. receber

30.2.

  2. No caso de não poder ir, telefono-lhe.
  3. Apesar de não me sentir bem, vou trabalhar.
  4. Depois de ires às compras, vens logo para casa.
  5. Antes de comerem o bolo, têm de lavar as mãos.
  6. Depois de acabares o trabalho, fechas a luz.

  7. Apesar de ter um bom emprego, não está satisfeito.
  8. Antes de verem o filme, deviam ler o livro.
  9. No caso de não termos aulas, vamos ao museu.
 10. Depois de eles sairem, arrumo a casa.

30.3.

  2. até (sem)/chegar
  3. para/irmos
  4. por estar

  5. sem/verem
  6. ao abrirem

Unidade 31

31.1.

  4. Lê
  5. Leia
  6. Leiam
  7. Põe
  8. Ponha
  9. Ponham
 10. Faz

 11. Faça
 12. Façam
 13. Traz
 14. Traga
 15. Tragam
 16. Despe
 17. Dispa

 18. Dispam
 19. Vai
 20. Vá
 21. Vão
 22. Vem
 23. Venha
 24. Venham

31.2.

  2. fales
  3. comas
  4. tires
  5. sujes

  6. partas
  7. escrevas
  8. digas

  9. faças
 10. entornes
 11. dês

31.3.

  2. Vire à esquerda.
  3. Come uma sandes.
  4. Põe a mesa.

  5. Vista o casaco.
  6. Bebam um sumo.

  7. Vê as palavras no dicionário.
  8. Leia as instruções.

Unidade 32

32.1.

2. mais antiga do que o museu
3. mais caras do que as minhas
4. mais frio do que ontem
5. mais novo do que o irmão
6. maior do que este
7. mais rápido do que o autocarro
8. mais baratos do que aqueles
9. mais baixa do que a Joana
10. mais cedo do que tu

32.2.

2. maiores
3. mais fácil
4. melhor
5. mais perto
6. pior
7. mais comprida
8. mais leve
9. mais magra
10. mais alto

32.3.

2. maior
3. melhor
4. mais cedo
5. pior
6. mais simpático

32.4.

2. não é tão grande como Espanha
3. não joga tão bem como ele
4. não está tão quente como o leite
5. não come tão depressa como ele
6. não é tão alto como a Ana

Unidade 33

33.1.

2. cedíssimo
3. gordíssimo
4. fortíssima
5. atrasadíssimos
6. pesadíssima
7. duríssimo
8. quentíssima
9. dificílimo
10. óptimo
11. gravíssimo
12. caríssimos

33.2.

2. as melhores
3. a mais antiga
4. a maior
5. o pior
6. a mais bonita
7. o mais alto
8. as mais doces
9. o mais interessante
10. o mais popular

33.3.

3. o homem mais rico
4. o dia mais feliz
5. a rapariga mais bonita
6. o maior rio
7. os melhores alunos
8. o político mais popular
9. o pior discurso
10. a actriz mais famosa

Unidade 34

34.1.

3. tão
4. Tantos
5. tanta
6. tão
7. tão
8. tantas
9. tão
10. tanto
11. tão
12. tanto

34.2.

2. tão mau
3. empregado tão antipático
4. Que bolo tão bom
5. Que jantar tão caro
6. Que festa tão divertida
7. Que amigos tão simpáticos
8. Que sofá tão confortável

34.3.

2. tanto
3. tão
4. tão/tanta
5. tanta
6. tantas

34.4.
2. Estou com tantas dores que vou tomar um comprimido.
3. O professor fala tão depressa que não compreendo nada.
4. O dia ontem esteve tão quente que fomos até à praia.
5. A Ana estudou tanto que ficou com dores de cabeça.
6. Fizeste tanto barulho que acordaste o bebé.
7. Ele comeu tanto que não consegue levantar-se.
8. Ela sentiu-se tão mal que o marido chamou o médico.

Unidade 35

35.1.

mim	si	vocês
ti	nós	eles

35.2.

comigo	consigo	connosco
contigo	com a Ana	com eles

35.3.

2. consigo/com ele
3. com eles/comigo
4. convosco

5. comigo
6. com vocês/connosco/contigo
7. contigo

8. com ele
9. consigo/comigo
10. convosco

35.4.

2. ti
3. si/mim
4. mim

5. si
6. mim (nós)
7. ti

8. mim
9. ela
10. ti

Unidade 36

36.1.

2. te
3. a
4. o
5. nos

6. vos
7. os
8. as

36.2.

2. Tem-la visto?
3. Não o comam todo.
4. Podes guardá-la. Já a li.
5. Puseram-nos e saíram.
6. Vê-lo connosco?
7. Fechem-na à chave.
8. Ajuda-me a levantá-lo.

9. Façam-nas bem.
10. Põe-nos na pasta.
11. Também os convidámos.
12. Levem-nos no carro.
13. Encontraste-o?
14. Deixei-os na escola.
15. Fá-los em casa.

16. Gostei de ouvi-lo.
17. Aqueçam-no.
18. Tenho de lê-los.
19. Tem-nas consigo?
20. Dão-na à Ana?

36.3.

2. nos
3. te
4. vos

5. me
6. o
7. a

8. as
9. vos
10. os

Unidade 37

37.1.

2. te
3. lhe
4. lhe

5. lhe
6. nos
7. vos

8. lhes
9. lhes
10. lhes

37.2.

2. mos
3. lhos
4. lhas

5. mas
6. lha

7. lho
8. ma

123

37.3.
2. Vou mostrá-lo a ti
   Vou mostrar-te o quarto
   Vou mostrar-to
3. Ele ofereceu-os a mim
   Ele ofereceu-me os bilhetes
   Ele ofereceu-mos
4. Já as dei ao sr. Oliveira
   Já lhe dei as informações
   Já lhas dei
5. Eles contaram-na ao João
   Eles contaram-lhe a história
   Eles contaram-lha

6. Mandei-a à D. Maria
   Mandei-lhe a encomenda
   Mandei-lha
7. Demo-la ao professor
   Demos-lhe a prenda
   Demos-lha
8. Entregaste-os ao aluno
   Entregaste-lhe os livros
   Entregaste-lhos
9. Já a pagaste ao senhorio
   Já lhe pagaste a renda
   Já lha pagaste

10. Mostrámo-lo à Ana
    Mostrámos-lhe o apartamento
    Mostrámos-lho
11. Emprestei-o ao teu irmão
    Emprestei-lhe o dicionário
    Emprestei-lho
12. Só a contei a ti
    Só te contei a conversa
    Só ta contei

Unidade 38

38.1.
2. vai ser inaugurada pelo Presidente.
3. O almoço é oferecido pela Companhia.
4. O jogo será transmitido para toda a Europa pelo canal 6.
5. Os quartos já tinham sido limpos pela empregada.
6. Muitos turistas são atraídos pelo clima da região.
7. As crianças foram acordadas pelo barulho.
8. Muitos jovens têm sido contratados por essa empresa.
9. O 1º prémio foi ganho pela nossa equipa.
10. Os desenhos foram feitos pelas crianças da primária.

38.2.
2. foi visto perto da fronteira.
3. O banco foi assaltado na noite passada.
4. Os impostos foram aumentados.

5. Mais escolas vão ser construídas.
6. O hotel vai ser aberto no próximo Verão.

38.3.
2. Foi destruída
3. Foi rebocado
4. Foi assaltado

5. Foram roubados
6. Foi atacada

38.4.
2. foi ganho pela Ana.
3. Os documentos foram encontrados pelo Pedro.
4. A viagem foi oferecida pela agência.
5. As flores foram encomendadas por nós.

6. Os exercícios foram feitos por ele.
7. O artigo foi escrito por eles.
8. O vidro foi partido por ti.

Unidade 39

39.1.
2. está fechada
3. os sapatos estão limpos
4. os alunos estão informados

5. o quarto está arrumado
6. o contrato está assinado
7. a encomenda está entregue

8. a resposta está dada
9. o carro está arranjado
10. as contas estão feitas

39.2.
2. estão feitas
3. As luzes estão acesas
4. Os testes estão corrigidos

5. A mesa está posta
6. A porta está aberta
7. As pessoas estão informadas

8. O vestido está roto
9. Os documentos estão entregues
10. O cabelo está seco

39.3.
3. Já está arranjada
4. Os dentes estão arranjados
5. os exercícios estarem feitos

6. o chefe da quadrilha estava morto
7. A mesa já está posta
8. todas as pessoas já estavam salvas

Unidade 40

40.1.
2. Precisa-se de motorista.
3. Vendem-se apartamentos.
4. Compram-se roupas usadas.
5. Fala-se francês.
6. Dão-se explicações.
7. Aluga-se sala para congressos.
8. Servem-se pequenos-almoços.
9. Admitem-se cozinheiras.
10. Aceitam-se cheques.

40.2.
2. bebe-se muito vinho.
3. come-se bacalhau à consoada.
4. trabalha-se menos.
5. festejam-se os Santos Populares.
6. apanha-se o barco.

40.3.
2. Alugaram-se duas camionetas para o passeio.
3. Antigamente compravam-se mais livros.
4. Ultimamente têm-se construído muitas escolas.
5. Já se marcou a viagem.
6. Fizeram-se obras no museu.

40.4.
2. Cozem-se as batatas e depois descascam-se
3. Batem-se os ovos com o açúcar
4. Pica-se a carne e depois mistura-se com o molho
5. Arranja-se o peixe e passa-se por farinha
6. Corta-se o queijo e põe-se no pão

Unidade 41

41.1.
1. a
2. ao
3. para
4. à
5. para
6. ao
7. para
8. a/para
9. ao
10. para

41.2.
1. para/pela
2. pela
3. pela
4. pelo
5. para/para
6. para/por/pelo
7. para/pela
8. pelo
9. para/pelo
10. para

41.3.
1. de/de
2. na
3. de
4. no/de
5. do
6. do/no
7. no
8. do/no
9. da
10. do

41.4.
2. O João vai para a escola a pé.
3. Nós vamos no carro dele.
4. Eles voltam para Madrid no comboio das 20h30.
5. Eu saio de casa às 8h00.
6. Eles vão à (para a) praia de camioneta.

Unidade 42

42.1.
1. em frente do
2. à frente do
3. dentro da/na
4. debaixo do
5. entre
6. na
7. à
8. ao lado do

42.2.
1. na
2. em frente do
3. no
4. debaixo da
5. no/ao lado do
6. em cima da
7. na
8. à
9. na
10. na
11. no
12. entre
13. ao pé da
14. à
15. atrás da
16. em cima da

42.3.

1. à
2. entre
3. à
4. à/à frente do

5. entre
6. à/à frente do
7. atrás do

8. ao lado da
9. atrás da
10. ao lado da

Unidade 43

43.1.

1. a/de
2. às/da
3. na
4. no
5. na
6. nas/de
7. à

8. ao
9. em/de
10. no/do
11. à/da
12. no/de
13. na
14. em

15. de
16. às/da
17. à
18. na
19. em
20. às/da
21. às

43.2.

1. por
2. para
3. para
4. para

5. por
6. para
7. pelas

8. por
9. Para
10. por

43.3.

1. Ao
2. No
3. À/à

4. Na
5. à
6. Na

7. aos
8. No

43.4.

1. às/da/à
2. aos
3. em
4. à/às

5. aos/de
6. a/de/no/de
7. No/de

8. no/em
9. de/a
10. no

Unidade 44

44.1.

1. Quem
2. A que horas
3. De que cor
4. O que

5. Qual
6. Quanto tempo
7. Quantos

8. Quantas
9. Como
10. Onde

44.2.

2. Quanto tempo/Quantas horas demoraram
3. A que horas chegaram
4. Para onde foram
5. O que é que fizeram
6. Onde é que jantaram

7. O que é que comeram
8. Como é que voltaram para o hotel
9. Como estava a noite
10. Porque é que se deitaram cedo

44.3.

1. Onde
2. Para onde
3. Por onde
4. De onde (Donde)

1. Quem
2. A quem
3. Para quem
4. De quem

1. O que
2. Que
3. A que
4. Em que

1. Quanto
2. Quantos
3. Quantas
4. Quanto

Unidade 45

45.1.
2. alguém/ninguém
3. todo/tudo/nada
4. alguma/nada
5. todos/tudo
6. algum/nenhum

45.2.
1. nada
2. tudo
3. todos
4. todo
5. todo
6. muitas
7. Todos
8. pouco
9. Alguém
10. todo/toda/nada
11. nada
12. outra
13. Ninguém
14. Toda
15. Alguns/ninguém

45.3.
4. Não há nenhuma sala livre
5. Não está ninguém no escritório
6. Ela não arrumou nada
7. Não lhe deram nenhumas informações
8. Ele bebe pouco leite
9. Não há nenhum feriado este mês
10. As crianças não desarrumaram nada
11. Amanhã não tenho nenhum tempo livre
12. Pouca gente os conhece
13. Não visitámos nenhuns locais de interesse
14. Hoje tive pouco trabalho
15. Ninguém telefonou enquanto estive fora
16. O João acha que não sabe nada

Unidade 46

46.1.
2. que
3. quem
4. que
5. onde
6. que
7. que
8. que
9. quem
10. onde

46.2.
2. ....com o qual....
3. ....para a qual....
4. ....no qual....
5. ....dos quais....
6. ....ao qual....

46.3.
2. ...., cujas paredes são cor-de-rosa, ...
3. ...., cujos resultados foram os melhores, ...
4. ...., cuja camisola é às riscas, ...
5. ...., cuja capa é encarnada, ...
6. ...., cujo casaco é preto, ...

46.4.
2. Lisboa, cujo padroeiro é o Santo António, é uma cidade em festa na noite de 12 para 13 de Junho.
3. O empregado com quem falámos era muito simpático.
4. Passei no exame para o qual estudei muito.
5. Qual é o nome do hotel onde nós ficámos?
6. A senhora, a quem aluguei a casa, ainda está no estrangeiro.
7. A história que eles contaram era mentira.
8. Isso é uma afirmação, com a qual (eu) não concordo.
9. Viste o dinheiro que estava em cima da mesa?
10. O médico que me atendeu era muito competente.

Unidade 47

47.1.
2. sei
3. pode
4. Posso
5. consigo
6. Sabes/Sei
7. consegui (conseguiu)
8. Conheces/conheço
9. pôde
10. consigo
11. sei/consigo
12. Conhece(s)
13. pode
14. conseguimos
15. Conheço

47.2.
3. Precisam de ser arranjados.
4. Preciso de ir às compras.
5. Precisa de cortar o cabelo.

47.3.

A

2. Deve ser da Mary
3. Devem estar de férias
4. Deves estar com gripe
5. Devo ir ver amanhã
6. Ele deve chegar atrasado

B

2. deviam
3. devias
4. Devíamos
5. Devias
6. devias

47.4. *
2. Tenho de sair já
3. tiveram de
4. Têm de

5. tens de
6. Tenho de

* Qualquer destas respostas pode ter como alternativa **ter que** na forma correcta

Unidade 48

48.1.
2. misturando bem
3. cantando e rindo
4. fazendo comida para fora

5. sorrindo
6. Dormindo pouco, ...

48.2.
2. Esfregando
3. Indo
4. Carregando

5. Copiando
6. Caindo
7. Falando

8. Pedindo
9. Comprando
10. Trabalhando

48.3.

A

2. vão escrevendo...
3. vão fazendo...
4. vão ouvindo...
5. vão estudando...
6. vão preparando...

B

2. vai arrumando...
3. vai limpando...
4. vai estendendo...
5. vai preparando...
6. vai pondo...

C

2. vou fazendo...
3. vou traduzindo...
4. vou arquivando...
5. vou tirando...
6. vou preenchendo...

Unidade 49

49.1.
1. há
2. há
3. desde
4. há

5. desde
6. há
7. há

8. há
9. desde
10. desde

49.2.
2. no Porto desde Janeiro
   No Porto há 8 meses
3. desde segunda-feira
   há 5 dias

4. desde as 7h00
   há 5 horas
5. desde o dia 1
   há 15 dias

49.3.
1. desde/há
2. há/desde
3. há/desde
4. há/desde
5. desde/há

49.4.
1. Não leio o jornal desde ontem
2. Chegaram há cinco minutos
3. Estudo português desde 1992
4. Vivo aqui desde Dezembro
5. A estreia foi há quinze dias
6. Estou à espera há duas horas
7. Estou há espera desde as duas horas (14 : 00)
8. Não ando de avião desde os cinco anos
9. Não ando de avião há cinco anos

Unidade 50

50.1.
2. .... há ....
3. Tem havido ....
4. .... houve ....
5. .... havia ....
6. .... há ....
7. .... houve ....
8. .... houve ....
9. Há ....
10. Há ....
11. .... há ....
12. .... haverá ....
13. .... haveria ....

50.2.
Ana: ... hei-de conhecer...
Rita: ... hás-de aprender...
Ana: ... havemos de tirar...
Rita: ... hão-de esquecer.../Hão-de divertir-se.../hão-de contar...
Ana: ... hás-de ir...

50.3.
2. .... hás-de fazer ..../.... há-de correr ....
3. .... hão-de encontrar ....
4. .... havemos de visitar ....
5. .... há-de haver ....
6. .... hei-de ir.

Depósito Legal n.º 65811/94